O WEMBLEY i WEMBLEY

STRAEON SYLWEBYDD

GARETH BLAINEY

Gomer

Cyhoeddwyd yn 2013 gan
Wasg Gomer, Llandysul, Ceredigion SA44 4JL
www.gomer.co.uk

ISBN 978 1 84851 754 7

Bydd canran o freindaliadau'r gyfrol hon yn mynd i Sefydliad
y Galon er cof am rieni'r awdur, ac i Gronfa Tomos Owen
Leukaemia Fund er cof am gyd-weithiwr a chyfaill iddo.

Cyhoeddwyd gyda chymorth ariannol Cyngor Llyfrau Cymru.

Argraffwyd a rhwymwyd yng Nghymru gan
Wasg Gomer, Llandysul, Ceredigion.

Cynnwys

Pêl-droed v. Cerddoriaeth

Chwefror 1963 – Medi 1987

Y blynyddoedd cynnar

Pêl-droed 1	Cerddoriaeth 0
Blainey 87'	

Dechreuais gicio pêl-droed lai na milltir o un o'r meysydd pêl-droed enwocaf yn y byd – stadiwm Wembley yng ngogledd Llundain. Ces i fy ngeni yn Kingsbury, dair milltir o'r stadiwm, ar 13 Chwefror 1963 a bues i'n byw yn Wembley nes oeddwn i'n saith oed. Y rheswm am hyn oedd mai fy niweddar dad, y Parch. Erfyl Blainey, oedd gweinidog capel Wesleaidd Cymraeg Chiltern Street (oddi ar stryd enwog Baker Street), a fy niweddar fam, Mari Blainey, oedd prifathrawes Ysgol Gymraeg Llundain yn Willesden Green. Cofiwch chi, er bod y stadiwm mor agos, es i ddim i'r un gêm yno yn ystod y saith mlynedd buon ni'n byw gerllaw cyn i ni symud i Lanfairfechan yn ymyl Bangor yn 1970.

Gareth yn cael blas cynnar ar chwarae pêl-droed gyda'i dad mewn parc yn Wembley

Gareth a'i rieni cyn gadael Llundain yn 1970

Doeddwn i ddim yn cefnogi tîm tra oeddwn i'n byw yn Llundain. Dechreuais gefnogi Wrecsam pan oeddwn yn wyth oed, ar ôl mynd i'r Cae Ras i'w gwylio nhw'n chwarae am y tro cyntaf yn ystod tymor 1971–72 gyda Dad, fy niweddar ewythr Tecwyn Blainey, a 'nghefnder Brynmor, oedd yn byw yn Ninbych.

Trwy gydol fy mhedair blynedd yn ysgol gynradd Pant y Rhedyn yn Llanfairfechan, roeddwn wrth fy modd yn chwarae pêl-droed ar iard yr ysgol a'r tu allan i'r ysgol hefyd, ond mae'n deg dweud bod gen i lawer mwy o frwdfrydedd na thalent. Gan fy mod yn fab y mans, roedd fy nghartref drws nesaf i gapel Bethel, Llanfairfechan ac un tro, dangosais allu eithriadol i gamdaro pêl, a hedfanodd honno drwy un o ffenestri'r capel a'i thorri'n deilchion! Fues i erioed yn nhîm cyntaf Ysgol Uwchradd Friars, Bangor, yn ystod fy nghyfnod yno rhwng 1974 ac 1981 chwaith, felly neidiais at y cynnig i chwarae mewn tîm o fechgyn chweched dosbarth yr ysgol yn erbyn tîm o fyfyrwyr o'r Coleg Normal yn y ddinas. Alla i ddim cofio ai colli o 17–0 neu o 21–0 wnaethon ni, ond dwi yn cofio methu'n lân â gwneud argraff yn safle'r cefnwr de wrth i asgellwr chwith tîm y Coleg redeg heibio i mi dro ar ôl tro!

Wnaeth y profiad gwael hwnnw fennu dim ar fy niddordeb mewn pêl-droed, a thra oeddwn yng Ngholeg y Brifysgol Caerdydd, es i nifer o gêmau ym Mharc Ninian, yn y Vetch yn Abertawe ac ym Mharc Somerton yng Nghasnewydd i wylio'r tri chlwb o dde Cymru'n chwarae yn y gynghrair – a rhai o'r gêmau rheiny yn erbyn Wrecsam – a gwelais i gêmau Cymru ar Barc Ninian a'r Vetch hefyd. Astudio Cerddoriaeth wnes i yn y brifysgol a mwynhau'n arw, ond ymhell cyn i mi raddio yn 1984 sylweddolais nad oeddwn eisiau bod yn athro. Doeddwn i ddim yn bianydd digon da i ddilyn gyrfa broffesiynol fel perfformiwr, a doeddwn i ddim yn awyddus i fod yn ddarlithydd, er gwaetha'r ffaith i mi gael gradd MA ar ôl aros yn y brifysgol am flwyddyn ychwanegol. Pwnc fy nhraethawd MA oedd y cyfansoddwr o Hwngari, Béla Bartók. Yn ystod

Gareth a'i rieni ar ôl ei seremoni raddio mewn Cerddoriaeth yng Ngholeg y Brifysgol Caerdydd, 1984

y flwyddyn honno, dechreuais ystyried y posibilrwydd o weithio ym myd teledu neu radio, ac mi ges fy mhrofiad cyntaf o ddarlledu yn 1985 pan adolygais gyngerdd o gerddoriaeth glasurol ar un o raglenni Cymraeg gorsaf radio annibynnol Caerdydd CBC (Cardiff Broadcasting Company).

Gwnes gwrs arall wedyn – cwrs rhan-amser Astudiaethau'r Cyfryngau yng Ngholeg Cyncoed, Caerdydd, tan 1986 – yna ces swydd ran-amser yn Amgueddfa Werin Cymru yn Sain Ffagan tan fis Ebrill 1987. Trefnu mynegai cardiau oedd â manylion arferion gwerin, dywediadau ac yn y blaen arnyn nhw oedd prif nod y gwaith hwn – roedd oes y cyfrifiaduron yn dal i fod yn y dyfodol pell! Tra oeddwn i yng Nghyncoed a Sain Ffagan, dechreuais gyflwyno rhaglenni Cymraeg ar CBC bob hyn a hyn. Fi oedd yn dewis y recordiau caneuon pop ac yn gofalu am y stiwdio yn ystod y rhaglenni – doedd neb arall yno – ac er bod hynny'n dipyn o gyfrifoldeb, roedd yn brofiad amhrisiadwy imi. Penderfynais anfon llythyr a thâp ohonof yn darlledu at adran gyflwyno Radio Cymru, gan ofyn a fuasai'n bosibl imi gael hyfforddiant fel darllenydd newyddion. Ces i fy nerbyn, a dechreuais weithio i'r BBC yn Llandaf ym mis Gorffennaf 1987.

Ychydig wythnosau ar ôl hynny, ces wybod bod yr Adran Chwaraeon yn chwilio am gyd-gyflwynydd newydd i gymryd lle Ian Gwyn Hughes ar raglen *Chwaraeon* Radio Cymru ar brynhawn Sadwrn. Roedd Ian ar fin dechrau cyflwyno *Y Maes Chwarae* ar y teledu, ac mi ges i brawf mewn stiwdio radio. Yn ystod y prawf hwn roedd disgwyl i mi ddangos fy ngwybodaeth gyffredinol am chwaraeon, ailadrodd manylion roeddwn i'n eu clywed yn fy nghlustffonau o fewn eiliadau – sgoriau gêmau pêl-droed a rygbi dychmygol – a chynnal cyfweliadau dros y ffôn heb lawer o rybudd, hynny yw, popeth allai fod yn ofynnol gan gyflwynydd yn ystod rhaglen chwaraeon fyw. Aeth pob dim yn hwylus – ac eithrio un peth. Yn ystod fy sgwrs efo gohebydd criced BBC Cymru, Edward Bevan, ynglŷn â thymor Morgannwg, hanner ffordd drwy gwestiwn am eu gêm nesaf, doeddwn i ddim yn gallu cofio pwy oedd eu gwrthwynebwyr. Holais: 'A beth am gêm nesaf Morgannwg yn erbyn … (saib) Middlesex?' Dyfalais yn anghywir fod Morgannwg yn paratoi i wynebu Middlesex ond er gwaethaf hynny, ces gynnig i weithio ar *Chwaraeon* am fis gan ddechrau ddydd Sadwrn cyntaf mis Medi.

A sôn am gamgymeriadau, yn ystod y mis o gyfnod prawf, cyhoeddais ar y rhaglen ei bod hi'n ddeg o'r gloch yn lle'r amser cywir – pump o'r gloch! Am 4.59.50 y prynhawn hwnnw roedd y cynhyrchydd wedi gweiddi 'deg' yn fy nghlustffonau er mwyn i mi beidio â bod yn hwyr ar gyfer y bwletin newyddion, ac ailadroddais y 'deg'. Pan sylweddolais beth oeddwn i wedi'i ddweud, ac wrth weld fy nghyd-weithwyr yn chwerthin, roeddwn yn teimlo'n ffŵl go iawn, ond ces gyngor da gan Lyn Jones, aelod o'r tîm cynhyrchu, tra oedd y bwletin yn cael ei ddarlledu. 'Gwna jôc,' meddai Lyn, felly dywedais rywbeth tebyg i hyn: 'Ga i'ch sicrhau chi mai pump o'r gloch ydi hi – dydi hi ddim yn ddeg o'r gloch eto ond mae'n amlwg ei bod hi'n teimlo fel deg o'r gloch i mi!' Ar ôl y mis cyntaf hwnnw bues i'n cydgyflwyno gydag Alun Jenkins ac yna'n cyflwyno *Chwaraeon* ar fy mhen fy hun tan ddechrau tymor pêl-droed 1992–93.

Hwn oedd y tymor cyntaf i mi sylwebu neu ohebu ar gêmau prynhawn Sadwrn, ac roeddwn ar ben fy nigon wrth dderbyn y cynnig i symud allan o'r stiwdio i feysydd ar hyd a lled Cymru a Lloegr. Roeddwn i'n teimlo fy mod i'n barod i ymgymryd â'r her a finnau wedi bod yn ymarfer yn dawel bach trwy fynd â pheiriant tâp i nifer o gêmau ar Barc Ninian nad oeddwn i'n gohebu ynddyn nhw, recordio fy hun yn sylwebu ar gêm gyfan ac yna gwrando ar y sylwebaeth yn hunanfeirniadol. Rydw i'n cofio sylwi fy mod yn tueddu i ddweud 'yn sicr' yn llawer rhy aml, felly ceisiais osgoi gwneud hynny wedyn.

Roeddwn yn benderfynol o wneud argraff oherwydd fy mod yn teimlo nad oeddwn wedi gwneud hynny wrth sylwebu ar Radio Cymru am y tro cyntaf ar ddwy gêm ddau dymor ynghynt. Y ddwy gêm honno oedd buddugoliaeth Manchester United o 3–0 dros Wrecsam yng nghymal cyntaf ail rownd Cwpan Enillwyr Cwpanau Ewrop yn Old Trafford ym mis Hydref 1990, a buddugoliaeth Cymru o 1–0 yn Lwcsembwrg yn rowndiau rhagbrofol Pencampwriaethau Ewrop dair wythnos yn ddiweddarach. Rhannu'r sylwebaeth oeddwn y ddau dro – gyda Nic Parry ym Manceinion a John Hardy yn Lwcsembwrg – ac er na wnes i unrhyw gamgymeriadau mawr, doeddwn i ddim yn credu bod fy sylwebaeth yn llifo. Wrth edrych yn ôl, roeddwn yn disgwyl gormod ohonof fy hun, a finnau'n ddibrofiad.

Roedd 1990 yn flwyddyn hynod o hapus i mi. Priodais i a Delyth ym mis Gorffennaf yng nghapel Minny Street yng Nghaerdydd, a Dad weinyddodd y briodas yn y capel rydyn ni'n dal yn aelodau ohono. Yr unig nodyn trist oedd nad oedd tad Delyth, Jackie Lewis yno gyda'i mam, Joan – bu farw Jackie ym mis Rhagfyr 1989. Roeddwn wedi cyfarfod Delyth, sy'n hanu o Aberteifi, ar ôl imi ymuno â Chôr Godre'r Garth yn 1987, a symudais o Gaerdydd i fyw gyda hi ym Mhontypridd – roedd hi'n athrawes yn Ysgol Gynradd Gymraeg Llyn y Forwyn, Ferndale, y Rhondda ar y pryd. Wrth iddi hyfforddi i fod yn athrawes yng Ngholeg Cyncoed, Caerdydd, roedd hi a'i ffrindiau'n gwylio tîm rygbi Cymru'n chwarae yn gyson, ond doedden nhw byth yn gwylio tîm pêl-droed Cymru. Oherwydd hynny, ychydig o ddiddordeb oedd gan Delyth mewn pêl-droed cyn inni gyfarfod, ond newidiodd hynny'n raddol, yn enwedig ar ôl i'n mab, a'n hunig blentyn, Huw, gael ei eni yn 1993. Wrth iddo dyfu, roedd o a fi'n sgwrsio'n aml am y gamp, felly penderfynodd Delyth fynd â Huw i gêmau Cymru pan ddechreuon nhw chwarae yn Stadiwm y Mileniwm yn 2000 – gêmau roeddwn i'n sylwebu arnyn nhw – a mwynhau.

Roeddwn i'n falch fod Delyth wedi dechrau cael blas ar bêl-droed, ac rydw i'n ffodus iawn nad ydi hi erioed wedi cwyno am y ffaith fy mod i wedi teithio cymaint wrth fy ngwaith ledled Prydain a thramor, hyd yn oed pan oedd Huw yn fachgen bach. Dydw i ddim wedi cadw cofnod o faint o gêmau rydw i wedi sylwebu arnyn nhw, ond rydw i'n amcangyfrif fod y ffigwr ymhell dros fil ar sail y ffaith 'mod i wedi bod mewn tua hanner cant o gêmau bob tymor dros gyfnod o fwy nag ugain mlynedd. Rydw i wedi darlledu o feysydd 82 o'r 92 o glybiau

Gareth a Delyth ar ddiwrnod eu priodas yn ymyl Llyn y Rhath yng Nghaerdydd, 1990

Gareth yn dangos llawer mwy o frwdfrydedd na thalent wrth chwarae pêl-droed gyda'i fab Huw mewn parc yng Nghaernarfon

sydd yn Uwch Gynghrair, Pencampwriaeth, Adran Gyntaf ac Ail Adran Lloegr ar hyn o bryd. Yr unig ddau glwb yn Uwch Gynghrair Lloegr nad ydw i wedi ymweld â nhw yw Stoke a Sunderland. Rydw i hefyd wedi sylwebu ar gêmau Cymru a gêmau clybiau o Gymru mewn 28 o wledydd neu daleithiau y tu allan i Brydain, sef:

Yr Almaen	Y Ffindir	Gwlad Pwyl
Armenia	Georgia	Rwsia
Azerbaijan	Hwngari	San Marino
Belarws	Yr Iseldiroedd	Sbaen
Gwlad Belg	Latfia	Serbia
Bwlgaria	Lithwania	Sweden
Croatia	Lwcsembwrg	Y Swistir
Denmarc	Norwy	Unol Daleithiau America
Yr Eidal	Portiwgal	Yr Wcrain
Estonia		

O ran y profiadau ges i yn yr holl wledydd hynny, mwynheais fynd i Budapest i wylio'r gêm gyfeillgar enillodd Cymru o 2–1 yno ym mis Mawrth 2004, oherwydd cyn y gêm ces i gyfle i ymweld â chyn-gartref Bartók – y cyfansoddwr yr ysgrifennais fy nhraethawd MA amdano – sy'n amgueddfa erbyn hyn. Ond y daith fwyaf pleserus rydw i erioed wedi'i chael oedd yr un i dalaith San Marino, sydd wedi'i hamgylchynu gan yr Eidal, ar gyfer y gêm a enillodd Cymru o 5–0 yno yn rowndiau rhagbrofol Cwpan y Byd ym mis Mehefin 1996. Anaml iawn mae sylwebydd pêl-droed yn gallu ymlacio cyn gêm trwy dorheulo yn ymyl pwll nofio – ac roedd yr haul braidd yn rhy llachar i mi fedru darllen fy nodiadau am gyfnod hir wrth y pwll!

Y profiad tramor gwaethaf ges i oedd cyn y gêm gyfartal 2–2 a chwaraeodd Cymru yn Armenia ym mis Mawrth 2001. Twll o le oedd Yerevan, prifddinas Armenia, a sôn am dyllau, dyna'n union oedd y ffyrdd yn llawn ohonynt wrth i yrrwr tacsi fy nghludo i a rhai o'm cyd-weithwyr o'n gwesty i'r maes lle roedd carfan Cymru'n mynd i ymarfer. Gwelais fynydd Ararat, sydd dros y ffin yn Nhwrci, o bell, a hynny o nifer fawr o onglau ar y daith hir ac anghyfforddus honno. Rydw i'n siŵr fod y gyrrwr wedi mynd y ffordd hiraf bosibl er mwyn cael mwy o arian gennym, ond o leiaf roedd popeth yn rhad yn Yerevan, felly doedd y siwrnai ddim yn un ddrud. Bonws oedd y ffaith ein bod wedi cyrraedd y maes ymarfer cyn chwaraewyr Cymru, felly derbyniais i a dau neu dri o ohebwyr eraill gynnig criw o fechgyn lleol tua naw a deg oed i chwarae pêl-droed yn eu herbyn nhw ar lain o goncrit yn ymyl y maes. Dyna un o'r penderfyniadau gwaethaf rydw i erioed wedi'u gwneud – wrth i mi geisio, a methu, taclo un o'r bechgyn, syrthiais a rhwygo'r cartilag (cartilage) yn fy mhen-glin chwith. Bues i'n hercian mewn poen nes i mi gael llawdriniaeth ar y ben-glin ar ôl dod adref i Gymru. A dyna dystiolaeth bellach fod gen i lawer mwy o frwdfrydedd na thalent at chwarae pêl-droed!

Mae'r brwdfrydedd sydd gen i at sylwebu wedi cynyddu dros y blynyddoedd diwethaf yn sgil llwyddiant Abertawe a Chaerdydd. Yn naturiol, rydw i'n teimlo llawer mwy o gyffro adeg gêm rhwng yr Elyrch a Manchester United nag oeddwn i'n arfer ei wneud adeg gêm rhwng yr

Elyrch a Mansfield, er enghraifft, a hwb imi o safbwynt y boddhad rwy'n ei gael wrth sylwebu ydy'r ffaith fod Caerdydd wedi efelychu Abertawe a chyrraedd Uwch Gynghrair Lloegr ar gyfer tymor 2013–14.

Roedd yn hollol naturiol, felly, i mi ddewis y gêmau sicrhaodd ddyrchafiad i'r brif adran i'r ddau dîm ar gyfer fy nghasgliad o straeon. Rydw i am fynd â chi i stadiwm Wembley ar gyfer pedair gêm yno, ar ôl i mi adael Wembley dros ddeugain mlynedd yn ôl. Rydw i hefyd yn mynd i sôn am brofiadau gwefreiddiol a siomedig rydw i wedi'u cael wrth wylio tîm Cymru, ac am droeon trwstan, a bydd y gêm gyntaf dan sylw yn dangos nad ydy bywyd yn fêl i gyd i sylwebydd …

Caerdydd v. Abertawe

Mercher 22 Rhagfyr 1993, Parc Ninian, Caerdydd

Yr Ail Adran

Caerdydd 1	Abertawe 0
Thompson 52'	

Er bod ugain mlynedd wedi mynd heibio ers y gêm hon, rydw i'n dal i gofio un olygfa a welais i cyn y gic gyntaf yn glir. Roedd bachgen bach – tua phedair neu bump oed – yn sgrechian wrth i'w dad, oedd wedi mynd i banic, ei gario cyn gynted ag y gallai i fyny grisiau'r brif eisteddle ym Mharc Ninian, stadiwm Caerdydd ar y pryd. Rhedodd y dyn, ac yntau'n straffaglu gyda'r bychan, tuag at un o'r allanfeydd reit o flaen lloc y wasg lle'r oeddwn i ac Ian Gwyn Hughes yn sefyll.

Y rheswm pam roedden ni'n sefyll yn hytrach nag yn eistedd – a'r rheswm am frys mawr y tad i adael Parc Ninian gyda'i blentyn – oedd yr helyntion a gododd ychydig cyn hynny yn rhan isaf yr eisteddle. Roedd Ian a fi ar ein traed er mwyn gallu gweld y golygfeydd treisgar oedd yn gwaethygu wrth inni ddarlledu'n fyw ar BBC Radio Cymru. Roedden ni'n dau yn rhes gefn yr eisteddle. Yn y rhesi blaen, roedd cefnogwyr yn ymladd â'i gilydd ac roedd seddi'n cael eu rhwygo allan o'r llawr a'u taflu tuag at loc y teulu yn yr eisteddle. Rhuthrodd nifer o bobl o'u seddi ac i lawr i'r maes – y rhan fwyaf ohonynt er mwyn ceisio osgoi niwed wrth i fwy a mwy o seddi hedfan – ond eraill i herio'i gilydd a pharhau i ymladd. Bu'n rhaid i heddlu ar gefn ceffylau geisio adfer trefn, ac oherwydd y trafferthion ar y maes, yn naturiol, doedd dim perygl y byddai'r ddau dîm yn mentro iddo.

Cododd yr helynt ar ôl i swyddogion clwb Caerdydd ymgynghori â'r heddlu a chaniatáu i'r mil a mwy o ddilynwyr Abertawe oedd yn y stadiwm symud o deras y Grange y tu ôl i un o'r goliau (lleoliad arferol cefnogwyr timau oddi cartref ar Barc Ninian) i'r brif eisteddle. Doedd dim to uwchben y teras, ac oherwydd ei bod hi wedi bwrw glaw yn drwm a bod disgwyl mwy o gawodydd, penderfynwyd rhoi'r cyfle i gefnogwyr yr Elyrch gysgodi rhag y glaw. Mewn dim o dro daeth yn amlwg mai penderfyniad ffôl oedd hwn. Roedd dilynwyr Abertawe'n rhy agos at ddilynwyr Caerdydd a bu'r demtasiwn i gamymddwyn yn ormod i rai ohonyn nhw.

Roedd oedi wedi bod hyd yn oed cyn y trafferthion welodd Ian Gwyn a fi. Roedd damwain car angheuol wedi digwydd ar ffordd gyswllt Trelái, ac roedd nifer fawr o gefnogwyr oedd ar eu ffordd i'r maes yn sownd yn y tagfeydd traffig a achoswyd gan y ddamwain honno. Ar ben hynny, roedd trên oedd yn cludo rhai o gefnogwyr Abertawe i Gaerdydd yn rhedeg yn hwyr.

Trafferthion rhwng cefnogwyr Caerdydd ac Abertawe

Yr heddlu ar gefn ceffylau yn adfer trefn

Wrth aros am y gic gyntaf, yr hyn glywodd gwrandawyr Radio Cymru oedd lleisiau syfrdan Ian Gwyn a fi'n disgrifio'r golygfeydd arswydus. Doedden ni ddim wedi rhagweld cymaint o helynt – roedd 38 o gefnogwyr y ddau glwb wedi'u harestio adeg y gêm rhwng Abertawe a Chaerdydd yng Nghwpan Littlewoods ar y Vetch ym mis Medi 1988 ond doedd prin ddim trafferth wedi bod mewn naw gêm ddarbi ers hynny. O'r diwedd, llwyddodd yr heddlu i roi pall ar yr erchylltra, ac ar ôl gorfod sôn am yr helbulon am fwy na hanner awr dechreuodd y gêm – bron i dri chwarter awr yn hwyr. Roedd hynny'n rhyddhad mawr i mi, a finnau'n sylwebu ar gêm rhwng yr Adar Gleision a'r Elyrch am y tro cyntaf.

Digon di-nod oedd y gêm o'i chymharu â'r hyn oedd wedi digwydd cyn iddi ddechrau. Bu gôl gan Garry Thompson yn gynnar yn yr ail hanner yn ddigon i Gaerdydd ymestyn eu record ddiguro i wyth gêm, a chollodd Abertawe am y pedwerydd tro yn olynol. Doedd hynny nac yma nac acw mewn gwirionedd oherwydd gorffennodd y ddau dîm y tymor yn hanner isaf y tabl – yr Adar Gleision yn bedwerydd ar bymtheg, a'r Elyrch yn drydydd ar ddeg. Canlyniad llawer mwy arwyddocaol oedd cyhoeddiad Cymdeithas Bêl-droed Cymru fod cefnogwyr oddi cartref wedi'u gwahardd rhag mynd i gêmau rhwng Caerdydd ac Abertawe am gyfnod amhenodol. Bu'r gwaharddiad hwn mewn grym am bron i bedair blynedd, ond parhaodd y trafferthion yn y gêmau darbi hyd yn oed wedyn. Roeddwn i'n sylwebu ar y gêm gyntaf wedi i'r gwaharddiad ddod i ben ar 2 Tachwedd 1997 ym Mharc Ninian, ac rydw i'n cofio gweld heddlu a chŵn yn rhwystro cefnogwyr Caerdydd rhag rhedeg tuag at gefnogwyr Abertawe, oedd yn dathlu gôl gynnar Keith Walker yn y gêm honno.

Drannoeth yr holl helyntion yn '93, 'On the Rampage' oedd y pennawd croch ar dudalen flaen y *South Wales Echo*, prif bapur newydd Caerdydd a'r cylch, ac ar y dudalen gefn, argraffodd y papur ddatganiad gan berchennog a chadeirydd clwb Caerdydd, y diweddar Rick Wright. Doedd o ddim wedi gweld beth ddigwyddodd oherwydd ei fod ar wyliau yn Awstralia. Yn ei ddatganiad, dywedodd fod yr heddlu wedi rhybuddio'r clwb am si bod dau grŵp o bobl o Gaerdydd ac Abertawe – gan gynnwys nifer nad oedd yn mynd i gêmau pêl-droed yn aml – yn bwriadu defnyddio'r achlysur i greu anhrefn. Yn ôl Wright, doedd yr oedi cyn y gic gyntaf ddim yn esgusodi ymddygiad 'cefnogwyr' y ddau glwb.

Ddeuddydd ar ôl y gêm cyhoeddodd yr Echo eu bod wedi gweld copi o lythyr a anfonwyd at gyfarwyddwyr Caerdydd gan Mike Deren, oedd yn gweithio i Glamorgan Security, cwmni diogelwch y clwb. Yn y llythyr, dywedodd Deren y gellid bod wedi osgoi'r problemau trwy aildrefnu'r eisteddle i wahanu cefnogwyr Caerydd ac Abertawe'n fwy effeithlon, a chadw'r teuluoedd mewn man llai peryglus. Roedd Deren a'i gydweithwyr o'r farn fod Alf Bowen, prif swyddog diogelwch Caerdydd, yn lwcus iawn nad oedd ganddo unrhyw farwolaethau ar ei gydwybod.

Yn naturiol, bu'r digwyddiadau cyn y gêm yn destun sgwrs rhwng Ian Gwyn a fi am ddyddiau lawer. Mi gyfaddefodd y ddau ohonom i ni deimlo'n wirioneddol ofnus wrth i ni ddarlledu cyn ac yn ystod y gêm, yn enwedig pan oedd y seddi'n hedfan yn nes ac yn nes tuag atom. Yn sicr, dydw i erioed wedi teimlo mor ofnus mewn stadiwm pêl-droed, a rhaid gen i mai adrenalin a sbardunodd yr holl siarad wnes i yn ystod y golygfeydd dychrynllyd cyn y gêm, gan oresgyn y pryder roeddwn yn ei deimlo. Dyna'r rheswm pam arhosodd yr atgof o'r tad yn ceisio amddiffyn ei fab rhag y trais mor fyw. Ar y pryd, roedd fy mab bach, Huw, bron â bod yn flwydd oed, ac fel pob tad sy'n gwirioni ar bêl-droed am wn i, roeddwn yn gobeithio y buasai ganddo ddiddordeb yn y gamp, ac y gallwn fynd ag o i gêmau pan oedd o'n hŷn. Wrth adael Parc Ninian y noson honno, rydw i'n cofio amau pa mor ddiogel fuasai gwneud hynny, ac er mor awyddus oeddwn i Huw rannu fy hoffter o bêl-droed, fuaswn i byth wedi ystyried mynd ag o i sefyllfa mor fygythiol. Ar ôl i mi gyrraedd adref y noson honno, dywedodd Delyth wrthyf ei bod yn poeni'n fawr am fy niogelwch wrth wrando ar Radio Cymru, ond bron i chwe blynedd yn ddiweddarach, es i â Huw i gêm gyda Delyth am y tro cyntaf a ninnau fel rhieni'n dawel ein meddyliau ei bod yn ddiogel i ni wneud hynny. Gêm Ail Adran rhwng Caerdydd a Wrecsam oedd hi, a orffennodd yn gyfartal 1–1 nos Wener 20 Awst 1999 a mwynheuodd y tri ohonom wylio'r gêm o'r brif eisteddle ar Barc Ninian. Roedd byd o wahaniaeth rhwng yr awyrgylch yno y noson honno a'r awyrgylch yno dridiau cyn Dydd Nadolig 1993.

Everton v. Wimbledon

Sadwrn 7 Mai 1994, Parc Goodison, Lerpwl

Uwch Gynghrair Lloegr

Everton 3	Wimbledon 2
Stuart 24' (sm) + 81' Horne 67'	Holdsworth 4' (sm) Ablett (i'w rwyd ei hun) 20'

'Fail to prepare, prepare to fail.' Clywais yr ymadrodd hwn am y tro cyntaf rai blynyddoedd yn ôl gan Kevin Ratcliffe, cyn-gapten a chyn-amddiffynnwr canol Everton a Chymru. Rydw i wedi dod i nabod Kevin yn dda dros y blynyddoedd, ers iddo ddod yn aelod o dîm sylwebu Radio Wales, a finnau'n sylwebu ar yr un gêmau ag o ar Radio Cymru. Rydw i wedi teithio efo fo'n aml gyda'r gwaith, ar gyfer gêmau Cymru yn bennaf. Mae'n gwmni difyr am ei fod yn dynnwr coes heb ei ail, ac yn ddyn ffraeth – mae'n siŵr mai dyna pam y cofiais ei sylw ynglŷn â pharatoi. Mae'r neges yn wir o safbwynt gwaith sylwebydd pêl-droed cyn gêm. Rydw i a phob sylwebydd arall rydw i'n eu nabod yn paratoi ffeithiau ac ystadegau niferus am chwaraewyr a chlybiau yn drylwyr oherwydd does wybod beth all ddigwydd mewn gêm.

Roeddwn i wedi paratoi'n drwyadl cyn teithio i Lerpwl ar gyfer gêm Everton yn erbyn Wimbledon ar Sadwrn olaf tymor 1993–94 yn Uwch Gynghrair Lloegr. Roedd hon yn gêm anferth i Everton oherwydd bod y clwb mewn perygl o syrthio o brif adran Lloegr am y tro cyntaf ers mwy na deugain mlynedd. Rhyfedd sut y gall dyddiau da droi'n ddyddiau drwg, gan fod llai na deng mlynedd wedi pasio ers i Kevin Ratcliffe a'i gyd-chwaraewyr – gan gynnwys Gary Lineker – ennill Pencampwriaeth yr hen Adran Gyntaf ddwywaith, Cwpan yr FA unwaith a Chwpan Enillwyr Cwpanau Ewrop unwaith hefyd.

Yn ogystal â'r ffeithiau rif y gwlith oedd yn fy nodiadau – a rhai ohonynt eisoes ar fy nghof – roeddwn i wedi paratoi'n feddyliol ar gyfer awr a hanner anoddach na'r arfer i mi. Roedd y chwarae yng ngêmau'r Uwch Gynghrair yn dipyn cyflymach nag yn y gêmau roeddwn i'n arfer eu gwylio ar brynhawniau Sadwrn, sef gêmau Abertawe, Caerdydd neu Wrecsam, oedd i gyd yn yr hen Ail Adran, ddwy adran yn is. Roedd hynny'n golygu bod llai o amser i enwi'r chwaraewr oedd â'r bêl, ac er ei bod hi'n dipyn haws nabod chwaraewyr roeddwn wedi eu gweld ar *Match of the Day* droeon na nabod chwaraewr o dîm Hartlepool, er enghraifft, roedd hi'n gryn her ar adegau i sylwebu wrth i'r bêl gael ei phasio'n chwim rhwng y chwaraewyr.

Capten Everton, Dave Watson, ar ei liniau wrth i chwaraewyr Wimbledon ddathlu mynd ar y blaen o 2–0

© Press Association

Ar adegau fel hyn, mae cyd-sylwebydd neu 'ail lais' yn help mawr. Dyma'r term rydyn ni'n ei ddefnyddio yn Adran Chwaraeon y BBC i ddisgrifio cyn-beldroedwyr proffesiynol ac arbenigwyr sy'n ychwanegu eu sylwadau ar ddigwyddiadau yn ystod gêmau – ail bâr o lygaid i'r sylwebydd, mewn gwirionedd. Dros y blynyddoedd, rydw i wedi dibynnu llawer ar y bobl hyn, ac wedi bod yn falch o weithio efo nhw. Rydw i'n gosod eu henwau yn nhrefn yr wyddor rhag ofn fod unrhyw un yn meddwl 'mod i'n dangos ffafriaeth!

Radio Cymru	Malcolm Allen, Dai Davies, John Davies, John Hartson, Adrian Havard, Owain Tudur Jones, Tomi Morgan, Meilir Owen, Waynne Phillips, Iwan Roberts, Osian Roberts, Marc Lloyd Williams
Radio Wales	Colin Addison, Mark Bowen, Alan Curtis, Leighton James, Matty Jones, Andy Legg, Dixie McNeil, Kristian O'Leary, Jason Perry, Kevin Ratcliffe, Mickey Thomas, Ian Walsh.

John Davies – cyn-golwr Caerdydd a Hull, sydd wedi bod yn Swyddog Pêl-droed y Gymuned i glwb Hull ers 1990 – oedd yr ail lais yn Everton. Roeddwn yn ddiolchgar i gael John yno ar ddau gyfri. Roedd yn rhwydd cydweithio ag o, ond yn bwysicach na hynny ar y prynhawn arbennig hwn, roedd y ffaith ei fod o mor dal – chwe throedfedd a thair modfedd – yn mynd i fod yn help mawr i mi, a minnau'n bum troedfedd a deng modfedd. Er gwaetha'r holl waith roeddwn wedi'i wneud ymlaen llaw, un peth na allwn i fod wedi paratoi ar ei gyfer oedd lleoliad y seddi a gafodd eu neilltuo i John a fi. Roedd y seddi hynny fwy neu lai ar yr un lefel â maes chwarae Parc Goodison, a'r tu ôl i resi o seddi lle roedd cefnogwyr Everton yn eistedd. Suddodd fy nghalon wrth i mi sylweddoli na fuasai'r cefnogwyr hynny'n aros ar eu heistedd ryw lawer yn ystod gêm mor allweddol, a bod ein seddi ni mewn cwt bychan â tho isel. Doedd hynny ddim yn broblem fawr i mi ond roedd yn dipyn o broblem i John oherwydd ei daldra.

Bob tro y byddai John yn codi ar ei draed i geisio gweld beth oedd yn digwydd dros bennau'r cefnogwyr, roedd yn rhaid iddo ofalu peidio â tharo'i ben ar do'r cwt. Chwarae teg iddo, roedd o'n ceisio gweld cymaint

© Press Association

Cefnogwyr hapus Everton ar ôl eu buddugoliaeth yn llongyfarch Graham Stuart a sgoriodd ddwy o'r goliau

ag y gallai ar fy rhan, am fy mod i'n prysur ysgrifennu nodiadau, ond dywedodd wrtha i ar ôl y gêm mai'r cwt cyfyng hwnnw oedd y safle sylwebu gwaethaf y bu ynddo erioed!

Roedd Everton mewn sefyllfa anodd ar ôl prin ugain munud. Yn ystod y munudau hyn, sgoriodd Wimbledon ddwywaith, ac roedd bai ar chwaraewyr y tîm cartref am y ddwy gôl. Ar ôl dim ond tri munud, dangosodd Anders Limpar pa mor nerfus oedd o trwy lawio'r bêl yn ddiangen yn y cwrt cosbi o gic gornel ddigon diniwed yr olwg. Roedd hi'n gic o'r smotyn amlwg i'r ymwelwyr, ac er gwaethaf ymdrech lew gan golwr Cymru, Neville Southall, aeth y bêl heibio iddo ac i gornel y rhwyd o gic Dean Holdsworth (a fu'n rheolwr Casnewydd o fis Mai 2008 tan fis Ionawr 2011). Ychydig mwy na chwarter awr wedyn, trawodd Dave Watson a David Unsworth yn erbyn ei gilydd wrth i'r ddau geisio clirio'r bêl o'r cwrt ar yr un pryd ac fe gamdrawodd Gary Ablett y bêl i'w rwyd ei hun.

Ches i ddim trafferth sylwebu ar yr un o'r ddwy gôl, ond daeth tro ar fyd wedyn – gwella wnaeth pethau i Everton, ond gwaethygu wnaeth pethau i mi a John. Lai na phum munud ar ôl ail gôl Wimbledon, welais i mo ddigwyddiad nodedig nesaf y gêm. Rhedodd Limpar at ymyl y cwrt cosbi a syrthio, ac wrth iddo wneud hynny, cododd y cefnogwyr o 'mlaen i bron i gyd ar eu traed. Trwy'r rhesi o gyrff rhyngom ni a'r maes, gwelais y dyfarnwr Robbie Hart yn pwyntio at y smotyn, ond roedd hi'n amhosibl i mi ddweud oedd y dyfarnwr wedi gwneud y penderfyniad cywir neu beidio. Doeddwn i ddim yn gwybod a oedd Limpar wedi cael ei faglu na chwaith a oedd y dacl arno gan Peter Fear y tu mewn, neu'r tu allan, i'r cwrt. 'Fear' – ofn – oedd un o'r emosiynau a deimlais wrth orfod cyfaddef hynny ar y radio, ond roeddwn yn credu mai bod yn onest fyddai orau. Sgoriodd Graham Stuart o'r smotyn a rhoi llygedyn o obaith i'r tîm cartref.

Gwelodd John a fi ychydig mwy o'r hyn ddigwyddodd cyn ail a thrydedd goliau Everton yn yr ail hanner, ond roedd elfen fawr o lwc yn hynny. Ergyd o bell oedd yr ail gôl, hanner ffordd drwy'r ail gyfnod, gan Barry Horne, capten Cymru ar y pryd, felly gwelais o'n taro'r bêl cyn i'r cefnogwyr o 'mlaen i neidio i'w traed. Barry yw ail lais sylwebaethau cwmni teledu lloeren Sky ar gêmau Cymru, ac ambell gêm Uwch Gynghrair Lloegr erbyn hyn. Holais o am ei atgofion o'r gôl flynyddoedd wedyn, ac yn ei farn o, honna oedd y gôl bwysica iddo'i sgorio yn ystod ei yrfa. Roedd o a'i gyd-chwaraewyr yn benderfynol o sicrhau nad oedden

Barry Horne yn chwarae dros Everton yn erbyn Manchester United, a'i gyd-Gymro, Mark Hughes

nhw'n cael eu cofio fel y tîm o Everton a syrthiodd o'r brif adran. Yn ôl Barry, mae cefnogwyr Everton yn dod ato hyd heddiw i ddweud eu bod yno pan sgoriodd o, ac i ganmol y gôl.

Gwelodd John Davies y bêl yn mynd drwy'r awyr ond welodd o ddim lot ar ôl hynny. Cyfaddefodd wrtha i iddo fynd adre a gwylio'r gôl ar *Match of the Day* – dyna pryd welodd o hi go iawn! Welais innau mo'r drydedd gôl yn glir iawn – ergyd o ymyl y cwrt cosbi gan Stuart oedd hi – ond gwelais ddigon i fedru gweiddi 'Stuart!' a cheisio cyfleu'r awyrgylch o ryddhad. Edrychai'n debyg fod Stuart a'i gyd-chwaraewyr wedi gwneud digon i osgoi syrthio. Ychydig ar ôl y chwiban olaf, lledodd y newyddion ar hyd Parc Goodison fod Sheffield United wedi colli yn Chelsea, felly roedd Everton yn ddiogel.

Os ewch i wefan swyddogol y clwb a chlicio ar 'History', 'The Everton Story' a 'Find Out More' yn yr adran '1981–2002', fe welwch mai 'The Great Escape' yw teitl yr adroddiad ar y gêm hon. Fel Everton, dianc o drwch blewyn o safbwynt fy sylwebaeth wnes innau'r prynhawn hwnnw hefyd!

Georgia v. Cymru

Mercher 16 Tachwedd 1994,
Stadiwm Cenedlaethol Tbilisi

Grŵp 7 rowndiau rhagbrofol Pencampwriaethau Ewrop 1996

Georgia 5	Cymru 0
Ketsbaia 29' + 48', Kinkladze 39', Gogrichiani 58', Arveladze 65'	

Nid yn aml mae rhywun fel fi'n mynd i weithio mewn ardal frwydro swyddogol, ond dyna wnes i pan deithiais i weriniaeth Georgia i sylwebu ar y gêm hon. Cyn i mi sôn mwy am hynny, gwell imi egluro ymhle mae Georgia ar fap y byd. Mae hi i'r gogledd o Dwrci ac i'r de o'r Wcrain. Bu'n rhan o'r Ymerodraeth Rwsiaidd am ganrifoedd, ac yna'r Undeb Sofietaidd, ond ar ddiwedd y 1980au, cododd ymchwydd o gefnogaeth i fudiadau gwleidyddol gwrth-Gomiwnistaidd, ac ym mis Ebrill 1991, ychydig cyn cwymp yr Undeb Sofietaidd, cyhoeddodd Georgia ei hannibyniaeth. Flwyddyn yn ddiweddarach, ffrwydrodd rhyfel cartref ffyrnig a gwaedlyd yn y wlad, a barhaodd yn ysbeidiol tan 1995. Er gwaethaf hynny, ar ôl i Gymdeithas Bêl-droed Cymru ymgynghori â'r Swyddfa Dramor, penderfynwyd ei bod yn ddiogel i bêl-droedwyr Cymru chwarae yno. Doeddwn i na Delyth yn poeni'n ormodol wrth i mi baratoi ar gyfer y daith, a theithiais i a'r gohebwyr eraill yn yr un awyren â'r garfan. Dyna oedd yr arferiad y pryd hwnnw, a dyna sy'n dal i ddigwydd yn aml. Cofiwch chi, mae Gareth Blainey a'i debyg yn eistedd yn ddigon pell oddi wrth Gareth Bale a'i debyg ar yr awyren honno – mae'r chwaraewyr fel arfer yn y blaen a'r gohebwyr yn y cefn, fel y plant da a'r plant drwg ar y bws i'r ysgol ers talwm.

Roeddwn yn fwy pryderus ar ôl glanio yn Tbilisi, prifddinas Georgia, oherwydd cerddodd pawb oddi ar yr awyren i ganol tywyllwch fel y fagddu. Er ei bod yn nosi, roedd yn sioc peidio â gweld unrhyw oleuadau o gwbl yn y maes awyr. Cafodd y bysus oedd yn cludo'r chwaraewyr a'r gohebwyr i'r un gwesty eu hebrwng gan geir yr heddlu, a'r goleuadau glas a fflachiai ar ben y ceir hynny oedd yr unig oleuadau a welais nes inni gyrraedd y gwesty – nid bod hwnnw wedi ei oleuo rhyw lawer chwaith. Ond er ei bod mor dywyll, roedd yn hawdd gweld pwy oedd wrth ymyl y brif fynedfa – milwr yn dal reiffl. Gwnaeth hynny i mi deimlo'n ofnus, ac fe ddwysaodd yr ofn pan ges i a phawb arall ein siarsio i beidio â gadael y gwesty ar unrhyw gyfri. Doedd dim angen dweud ddwywaith wrtha i, a welais i ddim golau dydd eto nes ei bod yn bryd i mi fynd ar y bws i'r gêm. Soniais i ddim wrth Delyth am y sefyllfa pan ffoniais hi i roi gwybod iddi fy mod wedi cyrraedd yn ddiogel, oherwydd nad oeddwn eisiau iddi boeni'n ddiangen amdana i.

Roedd y gêm hon yn cael ei chwarae flwyddyn union ar ôl y torcalon a brofodd Cymru wrth golli gartref o 2-1 yn erbyn Rwmania. Golygai hyn eu bod wedi methu cyfle i gyrraedd rowndiau terfynol Cwpan y Byd yn yr Unol Daleithiau. Go brin fod angen atgoffa llawer ohonoch y buasai buddugoliaeth dros Rwmania wedi sicrhau lle i Gymru yn y rowndiau terfynol, ond â'r sgôr yn 1–1, methodd Paul Bodin sgorio o'r smotyn – trawodd ei gic y bar. Rydw i'n cofio'n iawn i mi ddod yn agos at syrthio oddi ar fy sedd. Nid sedd yn y Stadiwm Cenedlaethol yng Nghaerdydd oedd hi, ond yn Stadiwm Constant van den Stock ym Mrwsel. Roeddwn i yno ar ran Radio Cymru yn gwylio'r gêm rhwng Gwlad Belg a Tsiecoslofacia– neu Weriniaeth y Tsieciaid a'r Slofaciaid a bod yn fanwl gywir – rhag ofn y buasai canlyniad y gêm honno'n effeithio ar Gymru. 0-0 oedd y sgôr ym Mrwsel yn y diwedd, ond roedd hynny'n amherthnasol gan fod tîm Terry Yorath wedi colli. Trodd y siom fawr roeddwn i'n ei theimlo yn sioc fawr pan glywais y newyddion trist am

David Williams, is-reolwr Cymru, yn ei chael hi'n anodd gwylio'r gêm yn Georgia

© Press Association

farwolaeth John Hill, un o gefnogwyr Cymru, yng Nghaerdydd. Cafodd ei ladd gan roced a daniwyd gan ddau Gymro arall oedd yn y dorf, a charcharwyd y ddau.

Ychydig fisoedd ar ôl i obeithion Ryan Giggs, Neville Southall, Ian Rush, Mark Hughes a Dean Saunders o chwarae dros eu gwlad mewn rowndiau terfynol pencampwriaeth o bwys gael eu chwalu, daeth cyfnod Yorath yn rheolwr i ben, a phenodwyd John Toshack yn rheolwr rhan-amser. Ymddiswyddodd Toshack ar ôl un gêm yn unig – gêm gyfeillgar a gollodd Cymru o 3–1 yn erbyn Norwy ar Barc Ninian. Roeddwn i yno'n sylwebu, a bu nifer o'r cefnogwyr cartref yn llafarganu enw Yorath drwy gydol y naw deg munud, a bŵio pan ddaeth y chwiban olaf. Roedd yr awyrgylch yn annifyr iawn.

Mike Smith gymerodd le Toshack, a hwn oedd yr eildro iddo fod yn rheolwr y tîm cenedlaethol. Smith oedd wrth y llyw pan lwyddodd Cymru i gyrraedd rownd wyth olaf Pencampwriaethau Ewrop 1976.

Cyrraedd rowndiau terfynol Ewro '96 – oedd i'w cynnal yn Lloegr – oedd y nod erbyn hyn, ac ennill un a cholli un oedd record Smith yn y rowndiau rhagbrofol cyn teithio i Georgia. Roedd Cymru wedi curo Albania o 2–0, ond wedi colli o 3–2 ym Moldofa, heb Giggs, Rush, Hughes a Saunders. Doedd Giggs ddim ar gael yn Tbilisi chwaith, ond roedd y tri arall ar gael. Ar sail hynny, a'r ffaith fod Georgia wedi colli eu dwy gêm nhw yn y rowndiau rhagbrofol ac wedi methu sgorio, roedd carfan Cymru'n obeithiol iawn y gallen nhw ennill. Gwaetha'r modd, chwalwyd y gobeithion hynny, a bu'r gêm hon yn brofiad poenus i'r tîm, ac i mi fel sylwebydd, yn eistedd ar fy mhen fy hun mewn blwch sylwebu gwydr heb ail lais, a fyddai wedi ysgafnhau'r dasg.

Yr her gyntaf i mi – hyd yn oed cyn y gic gyntaf – oedd ceisio ynganu cyfenwau chwaraewyr tîm Georgia yn gywir, heb faglu na phoeri ar fy nodiadau. Dyma nhw:

> Devadze, Revishvili, Tskhadadze, Shelia, Chikhradze, Gogichaishvili, Nemsadze, Gogrichiani, Ketsbaia, Kinkladze, Arveladze.

Gallech chi ddadlau bod rhai o'r cyfenwau yna'n ddigon rhwydd i'w dweud – Shelia a Nemsadze, er enghraifft – ond coeliwch fi, doedd dim byd rhwydd ynglŷn â'r awr a hanner nesa o'm safbwynt i. Doedd hi'n ddim cysur pan adawodd Ketsbaia y maes a'r eilydd a gymrodd ei le oedd Kavelashvili, ac un anhawster penodol rydw i'n ei gofio oedd y troeon (niferus) y pasiodd Gogichaishvili a Gogrichiani y bêl i'w gilydd. Y jôc ar y pryd ymhlith gohebwyr a sylwebwyr rygbi yr Adran Chwaraeon yn y BBC (Gareth Charles, Huw Llywelyn Davies a Lyn Davies) oedd bod gormod o Gogs (y fi, John Hardy ac Ian Gwyn Hughes) yn y swyddfa. Wel, roedd un 'Gog' yn ormod yn nhîm Georgia y diwrnod hwnnw, yn fy marn i!

Rywsut neu'i gilydd, llwyddais i enwi sgorwyr eu pum gôl yn gywir, ond bu hefyd yn rhaid i mi ymdopi ag un o fwganod gwaith sylwebydd – problemau technegol. Roeddwn i fod i ddarlledu adroddiadau cyson ar y gêm yn ystod rhaglen Stondin Sulwyn ar Radio Cymru'n hwyr y bore Mercher hwnnw – roedd hi'n brynhawn yn Tbilisi, sydd dair awr o flaen

Caerdydd. Doedd yr adroddiadau hynny ddim mor rheolaidd â'r bwriad oherwydd nam ar y llinell ffôn rhwng Dwyrain Ewrop a stiwdio Sulwyn Thomas. Diflannodd y Gymraeg o 'nghlustffonau nifer o weithiau, ac yn ei lle, clywn lais merch yn siarad Rwsieg, neu felly y tybiwn. Doeddwn i ddim yn gwrando'n astud iawn a minnau'n canolbwyntio ar y gêm – ac enwau'r chwaraewyr – a doedd gen i ddim amser i chwilio am ffôn arall i roi gwybod i raglen Sulwyn fod rhywbeth o'i le. Wrth i mi golli cysylltiad efo'r rhaglen doedd y llinell ddim yn diflannu'n gyfangwbl – roeddwn yn clywed llais y ferch a synau digon rhyfedd tebyg i glecian. Ceisiais – a methu – ddatgysylltu'r llinell er mwyn cael gwared ar y sŵn. Roedd hyn yn bell cyn dyddiau ffonau symudol, felly fedrwn i wneud dim ond dal ati i sylwebu. Dyna fydda i a phob sylwebydd arall yn ei wneud drwy gydol gêm, hyd yn oed pan na fydd y sylwebaeth yn cael ei darlledu'n llawn. Oherwydd bod y cyfan yn cael ei recordio, mae deunydd ar gael wedyn am goliau neu ddigwyddiadau eraill o bwys ar gyfer adroddiadau newyddion a chwaraeon.

Temuri Ketsbaia wrth ei fodd ar ôl sgorio gôl gyntaf Georgia yn erbyn Cymru

Syml, ynde? Ond dydi hi ddim wastad mor syml â hynny, a doedd hi'n sicr ddim ar y diwrnod hwn. Chafodd fy sylwebaeth ar ail gôl Georgia mo'i recordio oherwydd y trafferthion technegol, felly pan gyrhaeddodd hanner amser, gofynnodd y cynhyrchydd yng Nghaerdydd i mi faint oeddwn i'n ei gofio am y gôl ac a wnes i nodiadau am y symudiadau a arweiniodd ati. Roeddwn i wedi gwneud, ac mi gytunais i ailrecordio fy sylwebaeth. Erbyn hyn, dydy'r fath beth ddim yn digwydd o fewn y BBC, ond roedd hyn ugain mlynedd yn ôl, bron. Ar ôl ymarfer yr hyn roeddwn i ar fin ei ddweud yn dawel, edrychais i lawr ar fy nodiadau a bloeddio enw'r sgoriwr, Kinkladze. Ymhen ychydig eiliadau, dywedodd y cynhyrchydd ei fod yn hapus. Edrychais i fyny, ac ar ochr arall y gwydr yn y blwch sylwebu roedd dwsinau o fechgyn lleol yn syllu arna i'n syn, yn amlwg yn methu'n lan â deall pam fod y dyn dieithr hwn yn y blwch newydd fod yn gweiddi nerth ei ben pan nad oedd dim yn digwydd ar y maes!

Ar ôl i Georgia sgorio tair gôl arall yn yr ail hanner, doedd fawr o hwyl ar garfan Cymru wrth deithio adref ar ôl canlyniad gwaethaf y tîm cenedlaethol ers 41 o flynyddoedd. Roedd y chwaraewyr yn dawel ar yr awyren ac ar ôl cael cymaint o ysgytwad yn Tbilisi, fe gollon nhw eu dwy gêm ragbrofol nesaf gartref ac oddi cartref yn erbyn Bwlgaria. Cawson nhw gêm gyfartal galonogol yn yr Almaen wedyn, ond ar ôl colli yn erbyn Georgia eto yng Nghaerdydd ym mis Mehefin 1995, cafodd Smith ei ddiswyddo. Yr unig atgof clir sydd gen i o'r gêm honno ydi gweld Vinnie Jones, chwaraewr canol cae Cymru, yn sathru ar Kavelashvili ac yn cael ei anfon o'r maes. Wrth wylio Jones, oedd eisoes ag enw drwg am fod yn chwaraewr budr, yn gadael y maes yn gynnar, cofiais am stori a adroddais amdani mewn bwletin chwaraeon ychydig fisoedd ynghynt. Brathodd Jones drwyn Ted Oliver, un o ohebwyr y *Daily Mirror*, mewn gwesty yn Nulyn ar ôl gêm rhwng Gweriniaeth Iwerddon a Lloegr, y bu'n rhaid rhoi'r gorau iddi oherwydd helyntion yn y dorf. Roedd gwaed yn pistyllio o wyneb Oliver ond wnaeth o ddim dwyn achos yn erbyn Jones. Doedd hi ddim yn syndod mawr beth wnaeth o i Kavelashvili felly, ond roedd yn olygfa drist ar ôl gweld Cymru'n cael eu curo'n rhacs yn Tbilisi chwe mis ynghynt – ac ar ôl clywed bod Cymru wedi boddi yn ymyl y lan yn erbyn Rwmania flwyddyn cyn hynny.

RAF Riga v. Lido Afan

Mawrth 22 Awst 1995,
Stadiwm Cenedlaethol Riga, Latfia

Ail gymal rownd ragbrofol Cwpan UEFA

RAF Riga 0	Lido Afan 0
(2–1 i RAF Riga ar gyfanswm goliau)	

Bob tro y bydda i'n gwylio gêm bêl-droed rhwng tîm o Gymru a thîm o wlad arall, rydw i'n gobeithio gweld y tîm o Gymru'n ennill. Yr unig eithriad i hyn oedd y gêm rhwng Lido Afan o Bort Talbot ac RAF Riga (talfyriad o Riga Autobus Factory oedd yr 'RAF' – doedd a wnelo fo ddim â'r Awyrlu Brydeinig) yn Riga, prifddinas Latfia. Well imi egluro'n syth nad ydw i o dras Latfiaidd ac nad oes gen i ddim byd yn erbyn Lido Afan. Y rheswm pam nad oeddwn i eisiau iddyn nhw ennill oedd mai yma y cefais y broblem dechnegol waethaf erioed wrth ohebu neu sylwebu, ac a'm rhwystrodd i rhag rhoi gwybod canlyniad y gêm i wrandawyr Radio Cymru a Radio Wales.

Gan mai dim ond o un gôl roedd Lido Afan wedi colli gartref yn y cymal cyntaf, teimlai penaethiaid Adran Chwaraeon y BBC fod ganddyn nhw gyfle gwirioneddol i ennill yr ail gymal, ac fe benderfynwyd y dylwn i fynd i Latfia i ohebu'n ddwyieithog. Roeddwn yn teimlo'n chwithig wrth adael Delyth – a oedd ar wyliau haf o'r ysgol – a Huw, a oedd yn ddim ond dwy oed, ond ces daith hwylus draw i Riga ar yr un awyren â charfan Lido Afan oedd yn griw cyfeillgar. Roedd y gwesty a'r ardal o'r ddinas roeddwn i a'r garfan yn aros ynddi'n ddigon dymunol hefyd. Ddiwrnod cyn y gêm, es i'r stadiwm i sicrhau bod ffôn yno y gallwn ei ddefnyddio drannoeth, ac yn ôl yr hyn a ddeallais gan y ddynes oedd yn gyfrifol am y trefniadau, mi oedd un ar gael.

Ond ychydig funudau cyn y gic gyntaf, roedd popeth yn bygwth mynd o'i le. Roeddwn wedi bod yn y stadiwm ers o leiaf awr, a doedd dim golwg o ffôn. Mae'r ymadrodd *Gallic shrug* yn disgrifio'r ymateb difater a dieiriau y cewch chi gan Ffrancwyr sy'n methu'ch helpu chi – wel, *Latvian shrug* ges i gan yr union ddynes oedd wedi dweud y byddai hi'n darparu ffôn. Roedd fy Latfieg i'n waeth na'i Saesneg hi, hyd yn oed, wrth i mi geisio – a methu – egluro wrthi pam fod hyn yn gymaint o broblem.

Roedd gen i un llygedyn bach o obaith. Roeddwn wedi dod yn gyfeillgar â Marc Webber, gohebydd llawrydd oedd yn y gêm ar ran gorsafoedd radio Swansea Sound a Galaxy, cwmni teledu HTV a phapurau newydd y *Western Mail* a'r *Daily Mirror*. Roedd gan Marc ffôn symudol – yn wahanol i mi – a phan sylweddolodd fy mod i mewn twll, cynigiodd rannu'r ffôn efo fi. Ond o diar! Roedd problem arall yn ein hwynebu. Roedd batri ffôn Marc bron â bod yn fflat ar ôl iddo siarad ar

Lido Afan v. RAF Riga yn y cymal cyntaf

© Archif Lido Afan

Adam Moore yn sgorio unig gôl Lido Afan yn y cymal cyntaf

Swansea Sound ac HTV cyn y gêm. Roedd ganddo charger ar gyfer y ffôn, ond doedd dim soced yn y stadiwm i'w roi ynddo. Mae'n debyg fod y broblem efo'r ffonau wedi codi oherwydd fod y gêm wedi cael ei symud o faes cartref RAF Riga i'r stadiwm cenedlaethol, ond siawns na fuasai soced addas yn y stadiwm hwnnw!

Roedd Marc a fi yn yr un picil, felly – y ddau ohonom yn methu gwneud y gwaith roedden ni yno i'w wneud. Roedd gwylio'r gêm yn brofiad poenus, a minnau'n gwingo bob tro yr âi Lido Afan yn agos at sgorio. Petai un o gefnogwyr RAF Riga wedi bod yn fy ngwylio i yn hytrach na gwylio'r gêm, buasai wedi meddwl fy mod i eisiau mynd i'r tŷ bach ar frys. Rhyddhad mawr oedd clywed y chwiban olaf a oedd yn cadarnhau fod RAF Riga wedi curo Lido Afan o 2–1 ar gyfanswm goliau. Roedd y chwibaniad hwnnw'n arwydd i mi a Marc ruthro o'n seddi yn y stadiwm, neidio i mewn i'r tacsi cyntaf welson ni y tu allan i'r maes a gweiddi ar y gyrrwr i fynd â ni i'n gwesty cyn gynted â phosib. Bu raid i ohebydd papur newydd ardal Abertawe y *South Wales Evening Post*, Jonathan Wilsher, ddychwelyd i'r un gwesty ac anfon ei adroddiad o ar y gêm oddi yno ar ffacs oherwydd nad oedd ffôn ar ei gyfer o yn y maes chwaith. Er tegwch i 'nghyd-weithwyr gartref, wnaeth neb wylltio efo fi ar ôl i mi adrodd yr hanes wrthyn nhw dros y ffôn o fy stafell yn y gwesty – roedd ambell un yn rhy brysur yn chwerthin ar fy mhen yn un peth. Dywedodd Marc wrtha i fod gohebwyr HTV wedi bod yn poeni a oedd o'n iawn am nad oedden nhw wedi clywed ganddo, ond pan welson nhw mai 0–0 oedd y canlyniad, wnaethon nhw ddim meddwl mwy amdano!

Ar ôl holl gynnwrf y prynhawn, cafodd Marc a finnau bryd o fwyd yn y gwesty gyda'r nos, a phenderfynu mynd mewn tacsi i ganol y ddinas. Roedden ni wedi clywed mai yno roedd chwaraewyr a swyddogion Lido Afan, ac roedd awydd arnon ni fynd i gymdeithasu efo nhw. Ond er bod y dyn yn nerbynfa'r gwesty wedi addo bod tacsi ar ei ffordd, ddaeth hwnnw byth, er i ni aros am hydoedd, felly newidion ni'n cynlluniau – cawson ni ddiod arall yn y bar a mynd i'n gwelyau. Yn oriau mân y bore, canodd y ffôn yn fy stafell, ac atebais rhwng cwsg ac effro. Clywais lais cadeirydd clwb Lido Afan, Andrew Edwards, yn holi a oeddwn i'n iawn. 'Ydw,' meddai fi cyn rhoi'r ffôn i lawr a mynd yn ôl i gysgu.

Fore trannoeth, ces i sioc pan welais nifer o chwaraewyr Lido Afan yn eistedd yng nghyntedd y gwesty â briwiau cas ar eu hwynebau. Roedd pedwar ohonynt wedi gorfod mynd i'r ysbyty ar ôl helynt y tu allan i glwb nos yn Riga yn oriau mân y bore – torrwyd asgwrn gên Kevin Bartley a bu'n rhaid i David Evans gael pwythau yn ei wyneb. Dywedodd tystion 'annibynnol' – hynny yw, rhai nad oedd yn gysylltiedig â'r tîm o Gymru – fod Bartley wedi cael ei ddyrnu gan fachgen ifanc lleol mewn ymosodiad diachos yn y clwb, ac mai'r un bachgen oedd wedi taro Evans hefyd. Taflwyd y bachgen allan o'r clwb gan swyddogion diogelwch, ond wrth i chwaraewyr Lido Afan adael y clwb ychydig funudau'n ddiweddarach er mwyn ceisio osgoi mwy o drafferthion, ymosododd tua 30 o lanciau lleol arnyn nhw. Cafodd yr heddlu eu galw, ond dywedodd eu pennaeth nad oedd yn bosibl cosbi'r llanc roedd y criw o Gymru'n honni oedd wrth wraidd y trafferthion oherwydd bod tyst annibynnol wedi gwrthod cadarnhau mai y fo oedd yn gyfrifol amdanynt. Roedd

Andrew Edwards yn meddwl efallai fy mod wedi mynd i'r clwb, a dyna pam ffoniodd fi yng nghanol y nos.

Yn naturiol, ffoniais y BBC i roi gwybod iddyn nhw am yr helynt, ac ar ôl i mi ddychwelyd i Gaerdydd, ces fy holi am y trafferthion ar Radio Cymru a Radio Wales, er nad oeddwn yn gwybod i sicrwydd beth fu achos y cyfan. Wrth edrych yn ôl, roedd hi'n eironig fy mod wedi siarad llawer mwy ar y radio am ddigwyddiadau na welais i nac am y gêm a welais i, a'r un roeddwn i fod i ohebu arni. Er fy mod wedi cael trafferthion gydag offer technegol droeon ers y daith i Latfia, dyna'r unig dro i mi fethu cysylltu â'r BBC o faes chwarae drwy gydol fy ngyrfa radio. Rydw i wastad yn cofio mynd â fy ffôn symudol efo fi erbyn hyn – a charger hefyd rhag ofn i'r batri fynd yn fflat. Dydw i ddim eisiau teimlo mor anghyfforddus ag y gwnes i yn Riga fyth eto!

Lido Afan v. RAF Riga yn chwarae yn Aberafan

© Archif Lido Afan

Chesterfield v. Wrecsam

Sul 9 Mawrth 1997, Saltergate, Chesterfield

Rownd wyth olaf Cwpan yr FA

Chesterfield 1	Wrecsam 0
Beaumont 58'	

Roedd hi'n Sul y Mamau, ac roeddwn i'n paratoi i sylwebu ar y gêm fawr hon i glwb Wrecsam yng Nghwpan yr FA yn Swydd Derby. Roeddwn wedi cael sgwrs ffôn efo Mam – Mari Blainey – y bore hwnnw, er mai bob prynhawn dydd Sul y bydden ni'n siarad fel arfer, ac roedd hi'n hapus iawn efo'r blodau a anfonais i a Delyth a Huw ati. Roedd Mam a'm tad – y Parch. Erfyl Blainey – ar fy meddwl hyd yn oed fwy nag arfer oherwydd mai dyma'r tro cyntaf i Wrecsam greu cyffro yn y Cwpan ers iddyn nhw guro Arsenal yn y drydedd rownd ar 4 Ionawr 1992. Er mawr tristwch i ni fel teulu, bu farw Dad naw niwrnod cyn hynny ar Ŵyl San Steffan 1991. Gan fod yr angladd yn cael ei chynnal Nos Galan, wnes i ddim mynd i'r Cae Ras bedwar diwrnod wedyn i wylio'r gêm ond gwrandewais arni yn nhŷ Mam yng Nghaernarfon, a mwynhau sylwebaeth wych Nic Parry ar Radio Cymru. Sicrhaodd goliau Mickey Thomas a Steve Watkin fuddugoliaeth fythgofiadwy i dîm Brian Flynn, a hwn oedd un o ganlyniadau mwyaf annisgwyl holl hanes y gystadleuaeth. Roedd fy nhad yn cefnogi Wrecsam, ac er fy mod yn galaru, allwn i ddim peidio â gwenu wrth feddwl cymaint y buasai o wedi mwynhau rhannu'r cyffro trwy gyfrwng y radio. Bu'r saith mis cyn marwolaeth Dad yn hynod o anodd i ni fel teulu oherwydd ei fod wedi treulio'r cyfnod cyfan yn yr ysbyty ar ôl cael trawiad ar y galon. Elfen greulonaf ei salwch oedd iddo golli ei leferydd, ac yntau'n bregethwr huawdl ac yn ganwr bas da hefyd.

Ond i fynd yn ôl at gêm 1997, dyma Wrecsam wedi cyrraedd wyth olaf y Cwpan am y trydydd tro. Gwnaethon nhw hynny ddwywaith – a cholli'r ddau dro – yn y 1970au. Yn 1974 cawson nhw eu curo o 1–0 yn Burnley, ac yn 1978 colli gartref fu eu hanes o 3–2 yn erbyn Arsenal. Chwaraeodd Wrecsam yn ardderchog yn erbyn dau dîm oedd yn uwch adran Lloegr ar y pryd. Adeg y gêm dan sylw, roedd Chesterfield yn yr un adran â Wrecsam, ac yn eu gêmau cynghrair, roedd chwaraewyr Brian Flynn wedi cael gêm ddi-sgôr yn Saltergate ychydig dros fis ynghynt, ac wedi curo Chesterfield o 3–2 ar y Cae Ras ddechrau mis Tachwedd. Yn

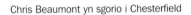 Chris Beaumont yn sgorio i Chesterfield

Tra oedd Chris Beaumont yn dathlu, roedd Andy Marriott a Deryn Brace yn beio'i gilydd

rowndiau blaenorol y Cwpan, roedd Wrecsam wedi dod yn ôl i ennill o 3–1 yn Birmingham yn rownd yr 16 olaf, a chyn hynny, fe gawson nhw fuddugoliaeth well fyth mewn gêm ailchwarae yn y drydedd rownd a churo West Ham, oedd yn Uwch Gynghrair Lloegr, o 1–0 oddi cartref.

Felly, roedd hwn yn gyfle gwych iddyn nhw fynd o fewn un fuddugoliaeth i'r rownd derfynol yn Wembley, ac roeddwn i'n teimlo y gallen nhw ennill wrth i mi geisio gwneud fy hun yn gysurus yn fy sedd yn lloc y wasg. Doedd hynny ddim yn beth hawdd oherwydd bod y lloc yn llawn dop, ond o leiaf roeddwn i'n medru gweld y maes chwarae o'r lle roeddwn i'n eistedd – doedd hynny ddim yn wir am safle sylwebu pob clwb! Yn y cyfnod hwn, roedd Radio Cymru'n dal i anfon dau sylwebydd i gêmau pwysig, er nad ydyn nhw'n gwneud hynny bellach. Fy nghyd-sylwebydd yn Saltergate oedd Nic Parry, y mwynheais wrando arno'n disgrifio camp Wrecsam yn y Cwpan ychydig ddyddiau ar ôl angladd fy nhad. Y drefn yn y gêm hon oedd i mi sylwebu ar gyfnod cyntaf yr hanner cyntaf a'r ail hanner, a byddai Nic yn cymryd fy lle cyn yr egwyl ac yn arwain at y chwiban olaf.

Yn anffodus i mi, yn ystod fy amser sylwebu i yr ildiodd Wrecsam unig gôl y gêm, yn gynnar yn yr ail hanner. Cafodd y bêl ei tharo'n uchel o'r cylch canol tuag at ymosodwr y tîm cartref Chris Beaumont, oedd tua hanner ffordd y tu mewn i hanner yr ymwelwyr, ond doedd hi ddim i'w gweld yn beryglus i Wrecsam. Roedd eu cefnwr chwith, Deryn Brace, yn agosach at y bêl nag oedd Beaumont, ac wrth iddi deithio drwy'r awyr daeth eu golwr, Andy Marriott, oddi ar ei linell gôl. Daeth cyfle i Brace glirio, ond roedd o'n disgwyl i Marriott wneud hynny, a manteisiodd Beaumont ar y camddealltwriaeth. Ciciodd y bêl dros ben y golwr ac i gefn y rhwyd. Dyma un o'r goliau mwyaf blêr rydw i wedi eu gweld yn cael eu sgorio yn erbyn un o dimau Cymru ers imi ddechrau sylwebu'n rheolaidd yn 1992. Roedd Marriott a Brace yn beio'i gilydd, ac mae'r llun o ymateb y ddau'n adrodd cyfrolau. Er bod digonedd o amser i'r ymwelwyr daro'n ôl, wnaethon nhw ddim hyd yn oed bygwth dod yn gyfartal, a bu bron i Beaumont sgorio eto yn ystod yr amser y bu Nic yn sylwebu yn Saltergate.

Roedd Ian Gwyn Hughes yno hefyd, yn sylwebu ar y gêm ar gyfer y teledu ac fe deithion ni adre gyda'n gilydd. Fel rheol roedd Ian a fi'n sgwrsio'n rhwydd tra'n teithio, ond wnaethon ni ddim siarad hanner cymaint ag arfer yn ystod y siwrnai hir yn ôl i Gaerdydd y diwrnod hwnnw. Fel fi, roedd o wedi gobeithio'n fawr gweld chwaraewyr Flynn yn ennill yn Chesterfield; fel fi, roedd o wedi gwylio Wrecsam droeon pan oedd o'n blentyn ac yn ddyn ifanc, ac fel fi, roedd o'n ei chael hi'n anodd credu eu bod nhw wedi boddi wrth ymyl y lan.

Ychydig dros fis yn ddiweddarach diflannodd gobeithion tîm Brian Flynn o gyrraedd y gêmau ail gyfle – ac roedd y tîm heb Bryan Hughes erbyn hynny. Ddeuddydd ar ôl y gêm yn Saltergate, gwerthwyd Hughes am £800,000 i Birmingham ar ôl i'r chwaraewr canol cae 20 oed wneud argraff fawr ar eu rheolwr Trevor Francis yn y fuddugoliaeth dros ei dîm o yn y Cwpan – Hughes sgoriodd gôl gyntaf Wrecsam yn y gêm honno.

Union bum wythnos ar ôl y gêm yn Saltergate, cafodd Chesterfield gêm gyfartal yn erbyn Middlesbrough yn rownd gyn-derfynol y Cwpan yn Old Trafford, cyn colli'r gêm ailchwarae o 3–0. Roedd hi'n ymdrech lew gan y tîm o'r Ail Adran yn erbyn y tîm o Uwch Gynghrair Lloegr ond, wrth wylio uchafbwyntiau'r gêm gyntaf o'r ddwy, rydw i'n cofio meddwl petai Wrecsam ddim ond wedi bod ar eu gorau yn rownd yr wyth olaf, y buasai'r clwb ar eu ffordd i chwarae yn Wembley am y tro cyntaf erioed. Bu'n rhaid aros am un flynedd ar bymtheg i hynny ddigwydd.

Abertawe v. West Ham

Mercher 13 Ionawr 1999, Cae'r Vetch, Abertawe

Gêm ailchwarae trydedd rownd Cwpan yr FA

Abertawe 1	West Ham 0
Thomas 29'	

Roeddwn i'n edrych ymlaen yn arw at y gêm hon yn nhrydedd rownd Cwpan yr FA. Ers i John Hollins gael ei benodi'n rheolwr Abertawe ychydig cyn dechrau tymor 1998–99, roeddwn i wedi bod mewn cysylltiad cyson â'r dyn a fu'n rheolwr Chelsea yn y 1980au ar ôl disgleirio fel chwaraewr dros y clwb yn y 1960au a'r 1970au. Roeddwn i'n gyrru o 'nghartref ym Mhontypridd i'r Vetch bob bore Gwener i recordio sgwrs gyda Hollins, ac yntau'n rhannu ei feddyliau wrth edrych ymlaen at gêm yr Elyrch drannoeth. Byddwn yn ei holi hefyd am unrhyw anafiadau ymysg y tîm, ac am chwaraewyr a oedd yn mynd i ymuno â'r clwb neu adael. Ar ddyddiau eraill pan oeddwn i yn swyddfa Adran Chwaraeon BBC Cymru roeddwn i'n ei ffonio i geisio sicrhau fod gen i'r newyddion diweddaraf – mae sgŵp yn werthfawr i ohebwyr chwaraeon yn ogystal â gohebwyr newyddion.

Doedd Abertawe ddim wedi gwneud argraff fawr yn y Drydedd Adran gyda Hollins wrth y llyw ym misoedd cyntaf y tymor. Bedwar diwrnod yn unig cyn iddyn nhw wynebu West Ham yn y Cwpan am yr eildro, gwelais nhw'n cael cweir o 4–0 yng Nghaerwysg (Exeter). Roedd yn anodd credu pa mor dila oedd eu perfformiad y diwrnod hwnnw ar ôl iddyn nhw chwarae'n wych i sicrhau gêm gyfartal o 1–1 yn erbyn yr Hammers ar Barc Upton wythnos ynghynt. Bu bron iddyn nhw ennill y gêm honno ond, ar ôl i Jason Smith eu rhoi nhw ar y blaen, daeth Julian Dicks â'r tim cartref yn gyfartal gyda thri munud o'r nawdeg ar ôl. Beth bynnag am hynny, go brin y gallen nhw fod wedi paratoi'n waeth cyn herio West Ham eto.

Doeddwn i ddim yn teimlo'n ffyddiog iawn ynglŷn â gobeithion Abertawe, felly, wrth i mi ddringo i bwynt sylwebu'r BBC ar y Vetch, a oedd yn her ynddo'i hun. Roedd y pwynt sylwebu ar blatfform uchel uwchben teras Banc y Gogledd, ac roedd ysgol wedi ei gosod yn ymyl y piler concrit o dan y platfform i ni ohebwyr allu cyrraedd yno. Mae'n swnio'n ddigon syml, on'd ydy? Ond arhoswch am funud bach …

Roedd gennym offer darlledu i'w gludo yno hefyd, sef bocs metel a elwid yn COOBE (Commentator Operated Outside Broadcast Equipment) sy'n odli efo 'Ruby', a bag yn cynnwys meicroffonau,

Gôl Martin Thomas i Abertawe

clustffonau ac amrywiaeth o wifrau eraill. Doedd hi ddim yn bosibl i ni gario'r offer hwnnw i fyny ac i lawr ar ein hysgwyddau, yn ogystal â'r bagiau oedd yn cynnwys ein nodiadau sylwebu ac ati, am ddau reswm. Roedd angen defnyddio dwy law ar yr ysgol oherwydd ei bod hi wedi hen ddechrau rhydu ac roedd hi'n rhan o ffrâm fetel. Doedd dim digon o le y tu mewn i'r ffrâm i berson ac offer symud yn hwylus. Roedd rhaff drwchus ar y platfform, felly dyma oedd y drefn – dringo'r ysgol, taflu'r rhaff i lawr i'r teras, clymu'r offer a'i dynnu i fyny'n ofalus gan sicrhau nad oedd yr offer yn taro yn erbyn y piler ar ei daith drwy'r awyr. Doedd hi ddim yn syml o bell ffordd, a theg dweud nad oeddwn i'n arbenigwr ar glymu'r offer wrth y rhaff er gwaetha'r ffaith fy mod wedi gwneud hynny droeon. Roeddwn ar bigau'r drain yn aml wrth dynnu'r offer i fyny i'r pwynt sylwebu, ac wrth ei ollwng i lawr, yn poeni y buasai'r cwlwm yn datod – go brin y buasai modd darlledu trwy gyfrwng bocs oedd wedi syrthio ar goncrit!

Ar ben hynny, roeddwn wedi cael profiad annifyr yn y pwynt sylwebu hwn chwe blynedd ynghynt, ac oherwydd hynny, roeddwn i bob amser ychydig yn nerfus wrth fynd iddo. Ym mis Ionawr 1993 roeddwn i'n gohebu o gêm Abertawe yn erbyn Fulham i Radio Cymru a Radio Wales ar fy mhen fy hun ar y platfform. Tua hanner awr ar ôl y gêm, gollyngais yr offer yn ddiogel i'r teras ar y rhaff, er ei bod hi wedi hen dywyllu erbyn hynny. Ond wrth i mi ddringo i lawr yr ysgol ceisiais roi fy nhroed ar un o'r grisiau – a methu. Tra bûm yn darlledu, roedd stiward wedi gosod darn o bren yn erbyn gwaelod yr ysgol i rwystro pobl nad oedd yn gweithio i'r BBC rhag dringo i'r man sylwebu. Roeddwn i'n sownd. Oni bai fy mod yn fodlon neidio rhyw ugain troedfedd i lawr i'r teras concrit, byddai'n amhosibl i mi ddod i lawr. Doedd dim amdani ond dychwelyd i'r pwynt sylwebu a ffonio swyddfa'r clwb. Trwy lwc, roedd rhywun yno i ateb yr alwad, ac fe ddaethpwyd o hyd i stiward oedd yn dal i grwydro'r maes. Daeth hwnnw i dynnu'r darn o bren oddi ar yr ysgol, ac roeddwn yn hynod ddiolchgar iddo. Fel arall, efallai y buaswn wedi gorfod aros ar y platfform dros nos. Teimlais ryddhad anferth wrth adael y maes – ond ddim cymaint ag y teimlodd Delyth fy ngwraig, a hithau bron â bod naw mis yn feichiog!

Chwe blynedd yn ddiweddarach roedd y cefnogwyr ar y teras o dan y pwynt sylwebu yn dathlu buddugoliaeth hynod. Llwyddodd Abertawe – oedd yn ddeuddegfed yn adran isaf y Gynghrair Bêl-droed – i guro West Ham, oedd yn wythfed yn Uwch Gynghrair Lloegr. Roedd dau o chwaraewyr gorau Lloegr, Rio Ferdinand a Frank Lampard – fu ar fenthyg gyda'r Elyrch o West Ham dri thymor ynghynt – yn chwarae i'r Hammers, ac felly hefyd ymosodwr Cymru John Hartson, sy'n hanu o Abertawe, wrth gwrs. Mae'n rhyfedd meddwl am hynny rŵan, a John yn berchen tocyn tymor ar gyfer gêmau'r Elyrch yn Stadiwm Liberty. Rydw i wedi holi John yn Gymraeg yn aml yn ystod fy ngyrfa ddarlledu ac mae'n braf gweld ei fod wedi gwella cystal ar ôl ei salwch difrifol bedair blynedd yn ôl.

Ar gae'r Vetch yn 1999, cafodd John arall – John Hollins, y rheolwr – ei amgylchynu gan gefnogwyr oedd wedi rhuthro i'r maes i'w longyfarch o a'i chwaraewyr ar ganlyniad gwych, diolch i gôl gan Martin Thomas. Ar ôl i Thomas sgorio rhedodd o a nifer o'i gyd-chwaraewyr draw at

Stiwardiaid yn helpu John Hollins, rheolwr Abertawe,
i adael y maes ar ôl i'w dîm guro West Ham

© Press Association

yr ystlys ac yn fy sylwebaeth dywedais: 'Mae 'na ddathlu rhyfeddol o flaen y Banc Gogleddol'. Mae odl yn yr ymadrodd hwnnw, a thynnwyd fy nghoes yn sobor am hynny gan Tomos Owen, oedd yn gynhyrchydd rhaglenni chwaraeon Radio Cymru. Roedd Tomos yn mynnu fy mod wedi paratoi'r ymadrodd cyn y gêm rhag ofn fod Abertawe'n sgorio. Roedd o'n gwybod yn iawn nad oeddwn i wedi gwneud, ond fe gawson ni dipyn o hwyl wrth i mi daeru, odl neu beidio, mai Banc y Gogledd fuaswn i wedi'i ddweud petawn i wedi 'paratoi', oherwydd bod hynny'n Gymraeg gwell na'r Banc Gogleddol! Dyna un o nifer o atgofion melys sydd gen i am Tomos, a fu farw'n greulon o ifanc yn 31 oed yn 2009 ar ôl brwydr hir a dewr yn erbyn lewcemia. Bu'n gefnogol iawn i mi, a braint oedd bod yn gyd-weithiwr ac yn gyfaill iddo.

Cymru v. Yr Eidal

Mercher 16 Hydref 2002,
Stadiwm y Mileniwm, Caerdydd

Grŵp 9 rowndiau rhagbrofol
Pencampwriaethau Ewrop 2004

Cymru 2	Yr Eidal 1
Davies 12'	Del Piero 32'
Bellamy 71'	

Roedd 2002 yn flwyddyn galonogol i dîm Cymru a Mark Hughes yn rheolwr. Ganol mis Chwefror cafwyd gêm gyfartal 1–1 yn erbyn yr Ariannin yn Stadiwm y Mileniwm. Ym mis Mai cafwyd canlyniad gwell fyth mewn gêm gyfeillgar arall yn y stadiwm pan guron nhw dîm yr Almaen o 1–0 trwy gôl gan Robert Earnshaw. Profwyd cystal oedd y canlyniad hwnnw ddiwedd mis Mehefin pan ddechreuodd saith chwaraewr o'r un-ar-ddeg a chwaraeodd yn erbyn Cymru yn nhîm yr Almaen yn rownd derfynol Cwpan y Byd yn erbyn Brasil (colli o 2–0 wnaethon nhw). Yn gyffredinol, roedd teimlad fod y tîm cenedlaethol yn mynd o nerth i nerth – 'Sparky' oedd llysenw'r rheolwr a doedd dim amheuaeth ei fod wedi cynnau sbarc ymhlith y chwaraewyr. Fe wnaeth yr un fath i ohebwyr fel fi hefyd wrth i mi baratoi i deithio i'r Ffindir ar gyfer gêm gyntaf Cymru yn rowndiau rhagbrofol Pencampwriaethau Ewrop 2004. Roedd disgwyl gêm ddigon anodd yn Helsinki yn erbyn tîm nad oedd wedi colli yn eu deg gêm gartref ddiwethaf, ond enillodd Cymru o 2–0.

Dyna'r paratoad perffaith ar gyfer yr ail gêm yn y grŵp yn erbyn un o dimau gorau'r byd, yr Eidal. Roedd yr awyrgylch yn wefreiddiol hyd yn oed cyn y gic gyntaf yn Stadiwm y Mileniwm. Canodd y grŵp roc Manic Street Preachers nifer o'u caneuon mwyaf adnabyddus, a Bryn Terfel gamodd i'r maes i ganu 'Hen Wlad Fy Nhadau'. Wrth ei wylio o'r pwynt sylwebu, aeth fy meddwl i yn ôl i briodas yng nghapel Ebeneser, Caernarfon, yn haf 1983. Fy nhad oedd gweinidog y capel a fo oedd yn gweinyddu'r briodas. Gan fy mod gartref ar fy ngwyliau o'r brifysgol yng Nghaerdydd, fi oedd yr organydd, ond doedd y pâr priod ddim wedi gofyn i mi ganu'r organ tra oedden nhw'n arwyddo'r gofrestr. Ar ôl iddyn nhw fynd i wneud hynny, camodd llanc ifanc i'r sêt fawr a chanu'n ddigyfeiliant yn ardderchog – ie, Bryn Terfel oedd o. Rydw i'n dal i gofio'i lais bas-bariton yn atseinio'r tu mewn i'r capel, ond go brin fod yr organydd wedi gwneud yr un argraff arno fo.

Craig Bellamy ar fin sgorio ail gôl Cymru

© Press Association

Cyd-chwaraewyr Bellamy yn ei longyfarch

Bron i ugain mlynedd yn ddiweddarach, roedd tua 70,000 o Gymry yn canu'r anthem genedlaethol gyda Bryn, ac oherwydd bod to'r stadiwm ar gau roedd y sŵn yn fyddarol, bron. Cododd lefel y sain hyd yn oed yn uwch pan sgoriodd Simon Davies yn gynnar yn y gêm. Wnaeth Cymru ddim digalonni ar ôl i Alessandro del Piero ddod â'r Eidalwyr yn gyfartal trwy gic rydd wyrodd oddi ar Mark Delaney i'r rhwyd, a thrawodd Ryan Giggs y bar o gic rydd. Disgrifio'r gôl gan Craig Bellamy a roddodd Gymru'n ôl ar y blaen ydi un o'r profiadau mwyaf cyffrous rydw i wedi'u cael fel sylwebydd. Pasiodd Danny Gabbidon yn gelfydd o'i hanner ei hun at John Hartson, a oedd yn y cylch canol yn hanner yr Eidalwyr, ac roedd pas Hartson at Bellamy, a oedd ychydig y tu allan i gwrt cosbi'r ymwelwyr, lawn cystal. Roedd cyffyrddiad cyntaf Bellamy'n hyfryd wrth iddo redeg i mewn i'r cwrt a heibio i'r golwr, Gianluigi Buffon, oedd wedi rhuthro oddi ar ei linell gôl i geisio'i rwystro, a thrawodd Bellamy'r bêl i'r rhwyd wag. 'Gôl anhygoel – gwerth talu i ddod i mewn i weld honna,' oedd ymateb cyn-golwr Cymru, Dai Davies, a oedd yn eistedd nesaf ataf, a llai nag ugain munud wedyn roeddwn i, Dai ac aelod arall tîm sylwebu Radio Cymru, Dylan Griffiths, wrth ein bodd yng nghanol y miloedd o gefnogwyr oedd yn dathlu buddugoliaeth wirioneddol wych. Roeddwn yn hynod o falch hefyd fod Delyth a Huw ymhlith y miloedd a oedd yn y stadiwm a hyd heddiw, dyma fuddugoliaeth orau'r tîm cenedlaethol rydw i wedi sylwebu arni.

Ar ôl i Gymru ennill eu dwy gêm ragbrofol nesaf hefyd, roedden nhw wedi chwarae pedair ac ennill pedair. Roedd fy mreuddwyd i o weld Cymru'n chwarae yn rowndiau terfynol pencampwriaeth o bwys yn agos at gael ei gwireddu. Cyn i mi weithio i'r BBC roeddwn i wedi teimlo'n siomedig dros ben wrth wylio'r teledu a gweld y freuddwyd honno'n cael ei chwalu gan yr Alban ddwywaith ar ôl dwy gic o'r smotyn ddadleuol.

Yn Anfield ym mis Hydref 1977 caniatawyd cic i'r Albanwyr er gwaetha'r ffaith mai eu hymosodwr nhw, Joe Jordan, lawiodd y bêl. Sgoriodd Don Masson o'r smotyn ac enillodd yr Alban o 2–0 i sicrhau mai y nhw – nid Cymru – fyddai'n cystadlu yn rowndiau terfynol Cwpan y Byd 1978. Wedyn ar Barc Ninian ym mis Medi 1985 dyfarnwyd cic arall i'r Albanwyr ar ôl i'r bêl daro braich yr amddiffynnwr Dave Phillips, sgoriodd Davie Cooper ac roedd gêm gyfartal 1–1 yn ddigon i rwystro Cymru rhag cyrraedd rowndiau terfynol Cwpan y Byd 1986. Roeddwn i'n sicr nad oedd Phillips wedi troseddu'n fwriadol ond trodd fy rhwystredigaeth yn dristwch ar ôl clywed bod rheolwr yr Alban, Jock Stein, wedi marw ychydig ar ôl y chwiban olaf.

Gwaetha'r modd, ar ôl y dechrau delfrydol yn rowndiau rhagbrofol Ewro 2004, cymryd cam yn ôl wnaethon nhw, a cholli tair – yn cynnwys cweir o 4–0 yn yr Eidal – a chael un gêm gyfartal. Er gwaethaf hynny, doedd y gobaith o gystadlu yn y rowndiau terfynol ym Mhortiwgal ddim ar ben. Roedd Cymru wedi gorffen yn ail yn eu grŵp – bedwar pwynt y tu ôl i'r Eidal – ac os gallen nhw guro Rwsia dros ddau gymal yn y gêmau ail gyfle, bydden nhw'n cyrraedd y rowndiau terfynol. Gêm ddi-sgôr oedd y cymal cyntaf yn Moscow nos Sadwrn 15 Tachwedd 2003, oedd yn hwb anferth i'w hymdrech yn fy marn i, ond bedair noson ar ôl hynny, cawson nhw eu curo o 1–0 yn yr ail gymal yn Stadiwm y Mileniwm.

Roedd Cymru wedi boddi wrth ymyl y lan unwaith eto. Cafodd tîm Mark Hughes eu trechu gan Rwsia union ddeng mlynedd ar ôl i dîm Terry Yorath gael eu curo gan Rwmania yng Nghaerdydd a cholli'r cyfle i chwarae yn rowndiau terfynol Cwpan y Byd 1994. Mae gen i atgofion melys am sylwebu ar y gêm a enillodd Cymru yn erbyn yr Eidal, a gôl Bellamy yn benodol, ond y trueni mawr ydy nad oedd y gôl honno na'r canlyniad hwnnw'n cyfri at ddim yn y pen draw.

Abertawe v. Hull

Sadwrn 3 Mai 2003, Cae'r Vetch, Abertawe

Y Drydedd Adran

Abertawe 4	Hull 2
Thomas 8' (sm), 45' (sm), 57' Johnrose 48'	Elliott 9' Reeves 25'

Unwaith yn unig rydw i wedi teimlo fy stumog yn troi tra oeddwn yn sylwebu ar gêm. Mae dros ddegawd ers iddo ddigwydd, ond rydw i'n cofio'n iawn pa mor annifyr oedd y teimlad ges i'n syth ar ôl i Hull fynd ar y blaen o ddwy gôl i un yn erbyn Abertawe yn yr hanner cyntaf ar gae'r Vetch. O edrych yn ôl, efallai nad oedd syndod i 'nghorff ymateb felly. Am bron i bum mlynedd cyn y gêm hon, fi oedd gohebydd cyswllt Abertawe yn Adran Chwaraeon BBC Cymru, ac roedd hon yn gêm hollol dyngedfennol. Roedd yn rhaid i'r Elyrch ei hennill er mwyn osgoi syrthio o'r Gynghrair am y tro cyntaf ers iddyn nhw ymuno â hi yn 1920.

Roedd y clwb wedi bod trwy gyfnod anodd yn y ddwy flynedd cyn y gêm hon. Yn un peth, bu tri rheolwr wrth y llyw mewn un flwyddyn. Diswyddwyd John Hollins ym mis Medi 2001 ac ym mis Mawrth 2002 cafodd Colin Addison, olynydd Hollins, a'i is-reolwr Peter Nicholas wybod na fydden nhw'n cael cynnig cytundebau newydd. Nick Cusack oedd nesaf, fel chwaraewr-reolwr, ond fel Addison, dim ond am chwe mis y bu o'n gofalu am y tîm. Ar 19 Medi 2002 cyhoeddwyd bod Cusack wedi colli ei swydd ac mai Brian Flynn, cyn-reolwr Wrecsam, oedd y cyfarwyddwr pêl-droed newydd. Mae'r diwrnod hwnnw a'r diwrnod cynt ymhlith y deuddydd rhyfeddaf i mi eu treulio yn gweithio i'r BBC.

Ar yr olwg gyntaf, doedd dim byd yn anghyffredin ynglŷn â'r ffaith fod Cusack wedi colli ei swydd ddiwrnod ar ôl i Abertawe gael eu curo o 1–0 yn Boston a syrthio i'r safle isaf yn y Gynghrair am y tro cyntaf yn hanes y clwb. Ond ces i – a phob gohebydd arall a deithiodd o dde Cymru i bellafoedd Swydd Lincoln i wylio'r gêm honno – wybod yn answyddogol oriau cyn y gic gyntaf fod Cusack yn mynd i gael ei ddiswyddo drannoeth ac mai Flynn fyddai'n cymryd ei le! Fel pob gohebydd gwerth ei halen, dydw i ddim am ddatgelu'n union sut y cawson ni'r wybodaeth honno – ond fe gawson ni gadarnhad ynglŷn â beth oedd yn mynd i ddigwydd mewn nifer o sgyrsiau a galwadau ffôn cyn y gêm.

Roedd gen i deimladau cymysg am y newid hwn. Roeddwn i'n ddigon bodlon fod y dyn wnaeth gymaint o waith da yn Wrecsam yn cael y cyfle i helpu Abertawe i godi o waelod y Drydedd Adran, ond, ar yr un pryd, roeddwn yn teimlo'i bod yn drueni mawr fod Cusack, dyn a fu'n gaffaeliad i'r clwb fel chwaraewr canol cae cadarn, wedi methu gwneud argraff fel rheolwr. Mae'n werth nodi yma hefyd y gwaith gwych wnaeth Cusack yn gynrychiolydd y chwaraewyr gyda'r PFA (Professional Footballers' Association). Lai na mis ar ôl penodi Addison, gwerthodd Mike Lewis, Cadeirydd yr Elyrch, y clwb i Tony Petty, gŵr busnes o Awstralia. Aeth Petty ati ar unwaith i geisio 'datrys' problemau ariannol Abertawe. Ar fore 10 Hydref 2001 roedd gen i ddiwrnod rhydd o'r gwaith, ac roeddwn ar fin cerdded i mewn i archfarchnad yn agos at fy nghartref pan ganodd fy ffôn symudol. Atebais y ffôn a chlywed llais y golwr Jason Jones, yr unig Gymro Cymraeg yng ngharfan yr Elyrch, yn holi ble roeddwn i. Rydw i'n cofio union eiriau nesaf Jason yn iawn: 'Mae Petty yn trio sacio'r chwaraewyr.'

Gadewais y troli'n wag, ffonio swyddfa'r Adran Chwaraeon a gyrru (yn gyflym iawn) i'r Vetch i holi Petty a Cusack. Dyna ichi ffordd anarferol o osgoi gorfod siopa! Ar y siwrnai i Abertawe, ces wybod fod Petty wedi cyhoeddi y buasai'n rhaid i saith o chwaraewyr adael y clwb, ac wyth arall dderbyn toriadau mewn cyflog. Un o'r wyth yna oedd

Cusack, ac eglurodd o nad oedd gan y cadeirydd newydd hawl gyfreithiol i ddiswyddo chwaraewyr na'u gorfodi i dderbyn gostyngiad yn eu tâl. Ddeufis yn ddiweddarach, roeddwn i ymhlith criw o ohebwyr oedd yn gwrando ar Cusack yn siarad yr un mor huawdl wrth ganmol ei gyd-chwaraewyr ar ôl eu buddugoliaeth o 3–0 yng Nghaerwysg (Exeter) ar Ŵyl San Steffan. Fe lwyddon nhw i ennill hyd yn oed ar ôl i Petty ddweud wrthyn nhw Noswyl Nadolig na fuasen nhw'n derbyn eu cyflogau am y mis. Ond ar 24 Ionawr 2002 daeth cyfnod cythryblus y dyn dadleuol o Awstralia i ben. Y noson honno, llwyddodd consortiwm â Mel Nurse, un o fawrion yr Elyrch, wrth y llyw i'w berswadio i werthu'r clwb iddyn nhw.

Bron i un fis ar bymtheg yn ddiweddarach nid Petty, ond Hull, oedd yn bygwth dyfodol Abertawe. Roedd gôl Martin Reeves wedi rhoi'r fantais o 2–1 iddyn nhw. Daeth ail gôl Hull ar ôl i James Thomas roi'r Elyrch ar y blaen gyda chic o'r smotyn gynnar, ond un funud yn unig wedyn daeth yr ymwelwyr yn gyfartal pan fanteisiodd Stuart Elliott ar

James Thomas, sgoriwr tair o goliau Abertawe yn y fuddugoliaeth dros Hull

© Huw Evans Picture Agency

flerwch amddiffynnol gan y cefnwr de Lee Jenkins. Gwnaeth y cefnwr chwith, Michael Howard, gamgymeriad gwaeth fyth trwy adael i'r bêl daro oddi arno fo a rhoi cyfle i Reeves sgorio, ond ym munud olaf yr hanner cyntaf bu digwyddiad dadleuol a chyfle euraid i'r Elyrch daro'n ôl. Penderfynodd y dyfarnwr, Scott Mathieson, ganiatáu ail gic o'r smotyn i'r tîm cartref – roedd Mathieson o'r farn fod amddiffynnwr Hull, Justin Whittle, wedi llawio'r bêl yn fwriadol.

Roedd fy nghyd-sylwebydd, Dai Davies – cyn-golwr Abertawe a Chymru – yn teimlo fod y dyfarnwr wedi gwneud camgymeriad, ac ar ôl i mi wylio fideo o'r digwyddiad nifer o weithiau cyn ysgrifennu'r geiriau hyn, rydw innau hefyd yn teimlo bod Whittle wedi cael cam. Sgoriodd Thomas o'r smotyn eto ac mewn dim o dro daeth diwedd yr hanner cyntaf. Â'r sgôr yn 2–2 aeth chwaraewyr y tîm cartref i'r stafell newid gan wybod bod angen iddyn nhw fynd yn ôl ar y blaen cyn gynted ag y gallent yn yr ail hanner i leddfu eu nerfau nhw a'r naw mil a mwy o gefnogwyr Abertawe oedd wedi tyrru i'r Vetch. Dim ond tri munud ar ôl yr egwyl cafodd y cefnogwyr a'r chwaraewyr fodd i fyw. O gic rydd gan y capten, Roberto Martínez, fe sgoriodd Lenny Johnrose. Gôl ddigon bler oedd hi, ond doedd dim taten o ots am hynny, ac ymhen llai na deng munud aeth tîm Flynn ymhellach ar y blaen gyda gôl gampus. Aeth rhyng-gipiad gan Jonathan Coates yn syth i droed James Thomas, oedd ychydig y tu mewn i hanner Hull, ac ar ôl iddo redeg rhwng dau o chwaraewyr Hull yn y glaw, fe drawodd y bêl yn daclus dros ben y golwr, Alan Fettis, a oedd wedi crwydro oddi ar ei linell gôl i ganol ei gwrt cosbi.

Dywedodd Thomas wedyn fod gweld y bêl yn taro cefn y rhwyd wedi bod yn deimlad anhygoel. Ar y platfform sylwebu uwchben teras Banc y Gogledd, roeddwn i a sylwebydd Radio Wales, John Hardy, ar ein traed yn bloeddio, ac o gornel fy llygad, gallwn weld cyd-sylwebydd John, Ian Walsh – cyn-ymosodwr Cymru – a Dai Davies yn wên o glust i glust. Fel Dai, roedd Ian wedi chwarae dros yr Elyrch yn yr hen Adran Gyntaf ar ddechrau'r 1980au ac, fel Dai, roedd o wedi bod yn poeni'n arw am y dirywiad yn safon y tîm a sefyllfa'r clwb wrth iddo sylwebu ar eu gêmau dros nifer o dymhorau. Ar ben hynny, roedd y ddau'n adnabod Brian Flynn yn dda ar ôl bod yn nhîm Cymru efo fo. I mi, roedd yn deimlad ardderchog gallu mwynhau'r eiliadau ar ôl y gôl gyda Dai, Ian a John ar ôl cael cymaint o hwyl yng nghwmni'r tri ohonyn nhw dros y blynyddoedd.

Tua hanner awr ar ôl trydedd gôl Thomas a phedwaredd ei dîm, chwythodd y dyfarnwr y chwiban olaf a rhoi'r cyfle cyntaf i'r Jacks ar y teras o dan ein pwynt sylwebu ddechrau dathlu o ddifri – roedd yr Elyrch yn ddiogel. Caerwysg (Exeter) a syrthiodd er eu bod nhw wedi ennill gartref hefyd. Gwibiodd miloedd o gefnogwyr i'r cae i longyfarch chwaraewyr a staff yr Elyrch, yn cynnwys Alan Curtis, a oedd yn aelod o'r tîm hyfforddi. Bu o'n un o gyn-chwaraewyr chwedlonol y clwb yn y 1970au hwyr a'r 1980au cynnar, ac yn ystod rhaglen deledu BBC Cymru yn gynharach eleni, Swansea City: The Fall and Rise, dywedodd aelod o dîm Abertawe a gurodd Hull, Leon Britton, fod Curtis wedi galw'r chwaraewyr at ei gilydd cyn y gic gyntaf i bwysleisio pa mor bwysig oedd y gêm hon. Hyd yn oed o uchder y pwynt sylwebu, roeddwn i'n gallu

Cefnogwyr yr Elyrch yn dathlu curo Hull. Fi yw'r pellaf ar y chwith ar ben y platfform sylwebu

© Huw Evans Picture Agency

gweld byd o wahaniaeth rhwng gorfoledd Flynn a'r gofid a fu mor amlwg yn ei wyneb pan es i'w holi ddeuddydd ynghynt. Gadawodd James Thomas – sy'n yrrwr ambiwlans erbyn hyn – y maes heb ei siorts a'i grys!

Mewn arolwg barn a gyhoeddwyd yn y *Western Mail* ym mis Medi 2012, pleidlesiodd 35.8 y cant o gefnogwyr yr Elyrch dros y gêm yn erbyn Hull fel yr un bwysicaf yn hanes y clwb. Roedd yn ddiddorol nodi fod y canran hwnnw gryn dipyn yn uwch na'r 28.9 y cant a bleidleisiodd dros y gêm yn erbyn Reading yn Wembley ym mis Mai 2011. Er bod buddugoliaeth Abertawe yn y gêm honno – fydd yn cael sylw gen i'n nes ymlaen – wedi sicrhau dyrchafiad i'r Uwch Gynghrair, roedd mwy nag un o bob tri o ddilynwyr yr Elyrch yn amlwg yn teimlo bod osgoi syrthio o'r Drydedd Adran wedi bod yn drobwynt mwy allweddol.

Ychydig oriau ar ôl i Abertawe guro Hull, ychydig filltiroedd o'r Vetch yng Nghapel Tabernacl, Treforys – yn rhyfedd iawn, nid nepell o fan geni James Thomas – roedd un aelod o adran baswyr Côr Godre'r Garth mewn hwyliau hynod o dda wrth ganu nerth ei ben. Yn hytrach na theimlo fy stumog yn troi, teimlwn wên yn lledu ar draws fy wyneb dro ar ôl tro yn ystod cyngerdd y côr y noson honno.

Chasetown v. Caerdydd

Sadwrn 5 Ionawr 2008,
Scholars Ground, Chasetown

Trydedd rownd Cwpan yr FA

Chasetown 1	Caerdydd 3
McNaughton (i'w rwyd ei hun) 17'	Whittingham 45' Ramsey 60' Parry 73'

Ble mae Chasetown? Er fy mod i wedi bod yno, rydw i wedi gorfod edrych ar y map sydd gen i yng nghist y car bob amser i f'atgoffa fy hun. Ardal o dref Burntwood, Swydd Stafford ydy hi, i'r gogledd-ddwyrain o Wolverhampton ac ychydig filltiroedd oddi ar draffordd yr M6. O edrych ar y map, dydy'r siwrnai yno o dde Cymru ddim i'w gweld yn un rhy gymhleth, ond penderfynais i a Rob Phillips, sylwebydd Radio Wales, y buasai hi'n ddoeth cychwyn o Gaerdydd yn gynnar ar fore Sadwrn cyntaf 2008 am sawl rheswm. Yn gyntaf, roedd y gic gyntaf am un o'r gloch yn hytrach nag am dri o'r gloch. Yn ail, doedden ni ddim yn hollol siŵr beth fyddai'r sefyllfa barcio, ac yn olaf, roedden ni'n tybio mai gorau po gyntaf y buasen ni'n cyrraedd ein seddi yn y maes, er mwyn sicrhau bod digon o le yno ar gyfer ein hoffer – a ni!

Daethon ni o hyd i'r maes heb lawer o drafferth, ac mi gawson ni daith fwy hwylus na chyn-ymosodwr Cymru, Malcolm Allen, oedd yn sylwebu ar y gêm ar Radio Cymru gyda mi. Roedd o wedi gadael ei gartref yn Watford heb declyn sat-nav, ac wedi gorfod holi nifer o bobl ar hyd y ffordd ymhle roedd Chasetown. Roedd Malcolm yn meddwl ei fod yn agos at Birmingham, ond dywedodd un dyn wrtho ei fod yn agos at Nottingham, felly cafodd Malcolm sioc pan ddaeth o hyd i'r lle ar ei liwt ei hun yn y pen draw!

A sôn am sioc – mi achosodd Chasetown un go iawn trwy guro Port Vale, oedd bum adran yn uwch na nhw, o 1–0 mewn gêm ailchwarae yn ail rownd Cwpan yr FA fis ynghynt. Oherwydd hyn, roedd gan y wasg ddiddordeb mawr yn y gêm hon. Chasetown oedd y tîm yn y safle isaf erioed yng nghyngreiriau Lloegr i gyrraedd trydedd rownd y Cwpan, a'u gwobr am gyflawni'r gamp honno oedd gêm gartref yn erbyn Caerdydd, a oedd adran yn uwch na Port Vale. Roedd sôn y byddai'n rhaid ei chwarae hi ar faes arall oherwydd pryderon ynglŷn â diogelwch ar faes bychan Chasetown, ond roedd eu swyddogion yn benderfynol o gynnal y gêm fwyaf yn hanes y clwb ar eu maes eu hunain. Yn rhyfedd iawn, roedd un

Y safle sylwebu yn Chasetown – fi yw'r pumed o'r chwith
a Malcolm Allen yw'r chweched o'r chwith

o'r swyddogion hynny'n Gymro Cymraeg, a Simon Davies, un o 'nghyd-weithwyr di-Gymraeg yn Adran Chwaraeon y BBC, ddaeth i wybod am hyn. Roedd Simon wedi ffonio swyddfa'r clwb ddechrau'r wythnos cyn y gêm er mwyn holi a wydden nhw am unrhyw Gymry Cymraeg oedd â chysylltiad efo Chasetown. Cafodd Simon siom ar yr ochr orau pan gafodd wybod bod ysgrifennydd y clwb yn Gymro Cymraeg, a ches i a gohebwyr eraill Radio Cymru fodd i fyw wrth holi John Richards, gŵr bonheddig a chroesawgar tu hwnt.

Symudodd John a'i wraig o Gonwy i Burntwood i fyw yn 1976 oherwydd gwaith John. Daeth John yn ysgrifennydd clwb Chasetown yn 2007. Mi gafodd y clwb drafferth efo'r heddlu a'r cyngor pan ddywedon nhw eu bod eisiau cynnal y gêm yn erbyn Caerdydd yn Chasetown ei hun. Buon nhw'n ddigon lwcus i gael llawer o help gan Wayne Nash, rheolwr stadiwm Parc Ninian ar y pryd, ac mi fodlonodd yr awdurdodau ar y trefniadau a wnaethpwyd yn y diwedd. Roedd 600 o docynnau ar gyfer cefnogwyr Caerdydd – gosodwyd eisteddle dros dro'r tu ôl i un o'r goliau, ac fe drefnwyd i stiwardiaid oedd wedi arfer gweithio yng ngêmau cartref Caerdydd fynd i'r gêm i helpu. Fe ddarparodd y clwb rygbi gyferbyn ofod ar gyfer parcio bysus a cheir hefyd. Roedd yn lot fawr o waith, yn ôl John, ond yn werth bob munud, ac mae pobl yr ardal yn dal i siarad am y gêm.

Rhan arall o'r gwaith oedd darparu pwynt sylwebu digon mawr i ddal y dwsinau o ohebwyr a dyrrodd i Chasetown. Cafodd platfform ei godi ychydig uwchben to'r adeilad lle roedd bar y clwb a synnodd Malcolm Allen pan sylweddolodd o lle roedd o a fi'n mynd i eistedd – ar ben y to, i bob pwrpas! Mi ges i jocs di-ri ganddo ein bod fel dau jac-y-do trwy gydol ein sylwebaeth ar Radio Cymru.

Roedd hiwmor Malcolm yn donig i mi'r diwrnod hwnnw. Dim ond yr eildro oedd hwn i mi weithio mewn gêm ers marwolaeth sydyn fy mam bron i fis ynghynt yn wyth deg pedair oed. Roedd hi'n byw mewn cartref preswyl yng Nghaernarfon oherwydd ei bod yn dioddef o iselder ysbryd. Tra oedd hi yn y cartref, yn ogystal â sylwebu ar y radio, roeddwn i a Dylan Griffiths yn sylwebu ar gêmau Uwch Gynghrair Cymru ar gyfer rhaglenni ar y teledu. Bu Dylan a chynhyrchydd y rhaglenni, Siôn

Aaron Ramsey yn dathlu ail gôl Caerdydd, a'i gyntaf dros y clwb

Jones, yn garedig iawn wrtha i a sicrhau fy mod yn cael teithio i gêmau yng ngogledd Cymru'n aml er mwyn i mi allu ymweld â Mam. Roedd hi wedi bod yn edrych ymlaen at fynd allan am ginio Nadolig mewn gwesty gyda fi, Delyth a Huw, a chael cwmni'r tri ohonom dros gyfnod yr Ŵyl. Ond fore dydd Mawrth 11 Rhagfyr 2007 ces alwad ffôn gan y cartref – roedd Mam wedi marw ar ôl cael trawiad ar y galon yn oriau mân y bore. Roedd hynny'n ysgytwad mawr i mi ar ôl i mi siarad â hi ar y ffôn y prynhawn cyn hynny, ond ar ôl cyfnod yn rhydd o'r gwaith a chefnogaeth ardderchog gan y BBC, dychwelais i sylwebu ar gêm Abertawe yn Swindon Ddydd Calan 2008, bedwar diwrnod cyn i mi deithio i Chasetown.

Ar ôl edrych ymlaen gymaint at yr achlysur, roedd hi'n gêm gwpan gampus. Aeth bron i ddwy fil o gefnogwyr Chasetown yn wyllt pan drawodd Kevin McNaughton y bêl i'w rwyd ei hun ar ôl llai nag ugain munud, ond ychydig cyn yr egwyl daeth Caerdydd yn gyfartal gyda gôl gan Peter Whittingham. Fe sgorion nhw ddwywaith eto yn yr ail

61

hanner ac Aaron Ramsey gafodd y gyntaf. Hon oedd gôl gyntaf Ramsey dros Gaerdydd, ac yntau wedi dechrau gêm yn y tîm cyntaf am y tro cyntaf yn ddwy ar bymtheg oed. Roedd o newydd arwyddo'i gytundeb proffesiynol cyntaf ac ar ôl y chwiban olaf ces i gyfweld Ramsey – oedd wedi bod yn ddisgybl yn Ysgol Cwm Rhymni – yn Gymraeg. Roedd hynny'n brofiad hyfryd gan nad oedd Cymro Cymraeg wedi bod yn nhîm cyntaf Caerdydd ers i Kevin Evans chwarae dros yr Adar Gleision yn nhymor 2000–01.

Nid diwedd y gêm oedd diwedd y cysylltiad rhwng clybiau Chasetown a Chaerdydd, fodd bynnag. Sefydlwyd cyfeillgarwch sydd wedi parhau hyd heddiw rhwng swyddogion a chefnogwyr y ddau glwb. Aeth Caerdydd yn ôl i'r Scholars Ground i chwarae gêm cyn dechrau tymor 2008–09, a blwyddyn yn ddiweddarach, Chasetown oedd gwrthwynebwyr cyntaf yr Adar Gleision yn eu gêm gyfeillgar swyddogol gyntaf yn eu cartref newydd yn Stadiwm Dinas Caerdydd. Erbyn hynny roedd Caerdydd wedi rhoi 600 o seddi o'u hen gartref ym Mharc Ninian i Chasetown ar gyfer eu maes nhw, ac ar ôl i Gaerdydd sicrhau dyrchafiad i Uwch Gynghrair Lloegr yn 2013, anfonodd clwb cefnogwyr Chasetown neges at glwb cefnogwyr Caerdydd i'w llongyfarch ar eu cyrhaeddiad. Mae'n braf nodi hynny, o gofio bod cymaint o sôn am gefnogwyr yn amharchu ei gilydd.

Caerdydd v. Portsmouth

Sadwrn 17 Mai 2008, Wembley

Rownd derfynol Cwpan yr FA

Caerdydd 0	Portsmouth 1
	Kanu 37'

'Pryd oedd yr unig dro i dîm o'r tu allan i Loegr ennill Cwpan yr FA?' Mae'n gwestiwn sy'n cael ei ddefnyddio'n aml mewn cwisiau, a'r ateb yw 1927. Yn y flwyddyn honno curwyd Arsenal gan Gaerdydd o 1–0 ac wyth deg un o flynyddoedd yn ddiweddarach roedd yr Adar Gleision wedi cyrraedd y rownd derfynol yn Wembley unwaith eto. Y Wembley newydd oedd hwn, gan mai dim ond ychydig dros flwyddyn cyn i Gaerdydd herio Portsmouth yr ailagorwyd y stadiwm. Roedd yr hen Wembley, a'i ddau dŵr adnabyddus – y Twin Towers – wedi cael ei ddymchwel yn 2003. Adeiladwyd stadiwm newydd a chanddo nodwedd yr un mor eiconig â'r tyrrau gynt, sef bwa dur yn codi i daldra o 133 metr uwchben eisteddle'r gogledd, sy'n hynod hefyd oherwydd ei hyd o 315 metr. Gellir ei weld ar draws Llundain gyfan, ac mae'n gamp wironeddol gan y penseiri a'i cynlluniodd ac i'r peirianwyr a'i gososdd yn ei le.

A sôn am gamp – dyna roedd Caerdydd wedi'i chyflawni yng nghystadleuaeth Cwpan yr FA yn 2008. Ar ôl ennill yn y drydedd rownd yn Chasetown, dim ond un o'u tair gêm nesaf yn y Cwpan a chwaraewyd gartref. Yn y gêm honno yn rownd yr un ar bymtheg olaf ym mis Chwefror, fe dalon nhw'r pwyth yn ôl i dîm un o gyn-glybiau eu rheolwr Dave Jones, Wolves, trwy eu trechu nhw o 2–0. Roedd y Bleiddiaid wedi cipio tri phwynt gyda gôl hwyr mewn buddugoliaeth o 3–2 ar Barc Ninian yn y Bencampwriaeth bedwar mis ynghynt.

Dyna'r unig un o bum gêm Caerdydd cyn y rownd derfynol na fues i'n sylwebu arni. Gwelais nhw'n gweithio'n galed i ennill yn y bedwaredd rownd o 2–1 yn Henffordd mewn gêm ddigon anodd ar Sul olaf mis Ionawr. Er gwaetha'r ffaith fod y tîm o Loegr ddwy adran yn is na'r tîm o Gymru, roedden nhw'n ail yn yr adran honno ac yn llawn hyder ar ôl curo Leeds oddi cartref yn y rownd gyntaf. Yn rownd yr wyth olaf, teithiodd yr Adar Gleision i herio Middlesbrough o Uwch Gynghrair Lloegr, ac fe deithiais i ac aelodau eraill timau sylwebu Radio Cymru a Radio Wales yno ddiwrnod cyn y gêm ym mis Mawrth i aros dros nos mewn gwesty, oherwydd ei bod yn siwrnai mor hir o dde Cymru. Dros bryd o fwyd ar y nos Sadwrn, un o'r prif bynciau trafod oedd y ffaith fod Manchester United, pencampwyr yr Uwch Gynghrair, a Chelsea wedi colli'n annisgwyl yn y Cwpan y diwrnod hwnnw – ydyn, rydyn ni'n dueddol o siarad siop rownd y ril! Roedd United wedi cael eu curo gartref gan Portsmouth, a Barnsley wedi llorio Chelsea. Y noson honno, mynnais i na fuasai tîm Dave Jones yn creu sioc drannoeth, ond roeddwn yn falch iawn fy mod i'n anghywir. Mi enillon nhw o 2–0 ar ôl dwy gôl gynnar gan Peter Whittingham a Roger Johnson mewn perfformiad penigamp.

Cawson nhw hwb pellach pan drefnwyd gêmau'r rownd gyn-derfynol. Fe lwyddon nhw i osgoi Portsmouth – yr unig dîm o Uwch Gynghrair Lloegr oedd yn dal yn y gystadleuaeth – a West Brom – oedd ddeg safle'n uwch na nhw yn y Bencampwriaeth. Barnsley – oedd bum safle'n is na nhw – fyddai'n eu hwynebu yn Wembley. Roedd cyfle campus, felly, i gyrraedd y rownd derfynol. Gwnaeth Caerdydd yn fawr o'r cyfle hwnnw ac roedd foli wych gynnar gan chwaraewr canol cae Cymru, Joe Ledley, yn ddigon i sicrhau buddugoliaeth o 1–0. Roedd hi'n stori dda mai Ledley o bawb oedd wedi sgorio'r gôl a olygai y buasai Caerdydd yn rownd derfynol y Cwpan am y tro cyntaf er 1927, oherwydd ei fod o wedi'i eni yn y ddinas a'i fagu yn ardal y Tyllgoed.

Ychydig ddyddiau ar ôl i Gaerdydd guro Barnsley, ces wybod mai fi fyddai'n sylwebu ar eu gêm yn erbyn Portsmouth yn y rownd derfynol. Roeddwn i wrth fy modd. Er fy mod wedi darlledu o nifer o gêmau mawr, cyn 2008 doeddwn i erioed wedi sylwebu ar rownd derfynol Cwpan yr FA. Roedd hi'n mynd i fod yn achlysur go arbennig o safbwynt yr Adar Gleision ac i mi. Roedd gan rownd derfynol y Cwpan le arbennig yn fy nghalon i ers fy mhlentyndod. Y tro cyntaf rydw i'n cofio i mi eistedd i wylio'r ffeinal ar y teledu oedd yn 1972 a finnau'n naw oed. Roeddwn i gyda fy nhad, fy ewythr Tecwyn Blainey a 'nghefnder Brynmor yn eu cartref yn Ninbych pan gurwyd Arsenal gan Leeds o 1–0. Doedd yr un ohonon ni'n cefnogi'r naill dîm na'r llall, ond roeddwn yr un mor awyddus â'r tri arall i weld a allai Arsenal godi'r Cwpan am yr ail flwyddyn yn olynol. Flwyddyn yn ddiweddarach, gartref yn Llanfairfechan, mwynheais weld Sunderland a oedd adran yn is na Leeds, yn creu sioc anferth trwy eu

Gôl Nwankwo Kanu i Portsmouth

trechu nhw o 1–0 ac yn 1974 ces i ddiwrnod i'r brenin yn gwylio Lerpwl yn ennill o 3–0 yn erbyn Newcastle. Er mai cefnogi Wrecsam oeddwn i erbyn hynny, Lerpwl oedd fy hoff dîm yn yr hen Adran Gyntaf ar y pryd. Rydw i'n cofio treulio'r bore yn y stafell fyw yn gwylio rhaglenni rhagflas y gêm a mwynhau'n fawr. Rydw i hefyd yn cofio fy mod i'n gwisgo sgarff coch a gwyn er gwaetha'r ffaith ei bod hi'n ddiwrnod poeth o Fai – dyna beth oedd brwdfrydedd!

Ddiwedd tymor 2012–13, ar brynhawn poeth arall yn fy nghartref ym Mhontypridd, mwynheais wylio buddugoliaeth annisgwyl Wigan o 1–0 dros Manchester City (doeddwn i ddim yn gwisgo sgarff y tro hwn). Roeddwn yn hynod falch dros reolwr Wigan, Roberto Martínez, a benodwyd yn rheolwr Everton lai na mis yn ddiweddarach. Trwy gydol ei gyfnod yn chwaraewr yn Abertawe, ac yna fel rheolwr y clwb o fis Chwefror 2007 tan fis Mehefin 2009, bu Martínez yn ŵr bonheddig bob tro y byddwn yn ei holi cyn ac ar ôl gêmau'r Elyrch. Bu'n bleser gweithio efo fo, ac yn wir, un o'r llyfrau rydw i'n ei drysori fwyaf yw fy nghopi o'i hunangofiant *Kicking Every Ball*, oherwydd y tu mewn iddo mae neges gan Roberto'n diolch i mi am fy nghefnogaeth iddo yn ystod ei flynyddoedd gydag Abertawe.

Unwaith yn unig rydw i wedi methu gwylio rownd derfynol yn ei chyfanrwydd, a hynny yn 2005, oherwydd fy mod yn ymarfer gyda Chôr Godre'r Garth ar gyfer cystadleuaeth yn Eisteddfod Llandudoch, ger Aberteifi. Trwy lwc, aeth y gêm i amser ychwanegol a chiciau o'r smotyn, ac roedd hi'n digwydd bod ar y teledu yn y dafarn lle aethon ni am bryd o fwyd rhwng ymarferion. Llwyddais felly i wylio buddugoliaeth hanesyddol Arsenal dros Manchester United ar giciau o'r smotyn – y tro cyntaf erioed i dîm ennill y Cwpan yn y modd hwnnw. Cynhaliwyd y gêm – ddi-sgôr – yn Stadiwm y Mileniwm tra oedd y Wembley newydd yn cael ei adeiladu.

Dair blynedd yn ddiweddarach, dyna lle roeddwn i yn y Wembley newydd yn teimlo'n nerfus wrth i'r gic gyntaf agosáu. Dros y blynyddoedd, mae nifer o ffrindiau wedi gofyn i mi ydw i'n nerfus cyn sylwebu a'r ateb syml yw 'ydw'. Er fy mod wedi sylwebu gannoedd o weithiau, rydw i'n dal i deimlo ychydig yn bryderus cyn dechrau pob gêm, ond wrth fagu profiad a hyder rydw i wedi llwyddo i reoli'r nerfau erbyn hyn. Unwaith mae'r gic gyntaf wedi digwydd, rydw i'n tueddu setlo – does dim amser i boeni yr aiff rhywbeth o'i le!

Aeth rhywbeth mawr o'i le i Gaerdydd ychydig cyn hanner amser, gwaetha'r modd. Methodd eu golwr, Peter Enckelman, arbed croesiad gan John Utaka a sgoriodd Nwankwo Kanu. Anaml iawn y daeth yr Adar Gleision yn agos at sgorio mewn gêm ddigon di-nod, ac yn syth ar ôl y chwiban olaf, profiad digon diflas oedd disgrifio wynebau digalon eu chwaraewyr gerbron tua 25,000 o'u cefnogwyr. Er clod i nifer o'r cefnogwyr hynny, mi arhoson nhw yn y stadiwm i wylio capten Portsmouth, Sol Campbell, a'i gyd-chwaraewyr yn codi'r Cwpan cyn troi am adref. Teithiais innau adref yn teimlo'n siomedig – nid yn unig oherwydd y canlyniad, ond hefyd oherwydd fy mod yn amau y buaswn yn cael cyfle arall i sylwebu yn Wembley yn y dyfodol agos. Yn ffodus i mi, nid felly roedd hi i fod …

Abertawe v. Reading

Llun 30 Mai 2011, Wembley

Rownd derfynol gêmau ailgyfle Pencampwriaeth Lloegr

Abertawe 4	Reading 2
Sinclair 21' (sm), 22', 80' (sm)	Allen (i'w rwyd ei hun) 49'
Dobbie 40'	Mills 57'

Dair blynedd ar ôl sylwebu ar gêm Caerdydd yn erbyn Portsmouth yn rownd derfynol Cwpan yr FA yn Wembley, roeddwn i yno unwaith eto! Mae'n ddigon posibl y buaswn wedi dychwelyd yno flwyddyn ynghynt pe na bai gêm gyfeillgar gan Gymru yng Nghroatia a minnau'n sylwebu arni. Roedd gêm Caerdydd yn erbyn Blackpool, yn rownd derfynol gêm ailgyfle Pencampwriaeth Lloegr yn Wembley, yn cael ei chwarae dydd Sadwrn 22 Mai 2010, a Chymru i wynebu Croatia drannoeth. Dylan Griffiths fu'n sylwebu ar gêm Caerdydd, a ches i fynd i Groatia. Yn ninas Osijek roeddwn i, felly, wrth i'r Adar Gleision geisio sicrhau dyrchafiad i Uwch Gynghrair Lloegr, ond llwyddais i wylio'r gêm – wel, buasai hi wedi bod yn drueni peidio. Yn y gwesty lle roedd carfan Cymru'n aros y gwyliais hi. Roeddwn i wedi mynd yno ar gyfer cynhadledd newyddion y rheolwr, John Toshack, cyn i'w dîm herio Croatia, a chwarae teg i Toshack – roedd o'n ddigon bodlon i mi, a'r gohebwyr eraill oedd yno i'w holi, fynd i ystafell arall i weld a allai ei glwb cyntaf fel chwaraewr godi i'r brif adran yn Lloegr am y tro cyntaf er 1962.

Colli o 3–2 wnaeth Caerdydd (a Chymru o 2–0 drannoeth, gyda llaw), ond flwyddyn yn ddiweddarach daeth cyfle i Abertawe gael dyrchafiad i'r Uwch Gynghrair. Ers buddugoliaeth ddramatig yr Elyrch dros Hull yn 2003, roedden nhw wedi mynd o nerth i nerth. Fe lwyddon nhw i godi o adran isaf y Gynghrair Bêl-droed, â Kenny Jackett yn rheolwr arnynt, trwy ennill yn Bury yn 2005, cyn colli ar giciau o'r smotyn yn rownd derfynol gêmau ailgyfle'r Adran Gyntaf yn erbyn Barnsley yn Stadiwm y Mileniwm y flwyddyn wedyn. Yn 2008, ychydig dros flwyddyn ar ôl i Roberto Martínez gymryd lle Jackett, llwyddwyd i esgyn i Bencampwriaeth Lloegr trwy ennill yn Gillingham.

Dair blynedd yn ddiweddarach, roedden nhw wedi cyrraedd Wembley yn nhymor cyntaf Brendan Rodgers wrth y llyw, ar ôl i dîm Martínez ddod yn agos at sicrhau lle yn y gêmau ailgyfle yn 2009, ac i dîm Paulo Sousa ddod hyd yn oed yn nes at wneud hynny yn 2010. Wrth i mi baratoi i sylwebu ar ymdrech Abertawe i godi i'r Uwch Gynghrair yn y Wembley newydd, roedd yn rhyfedd cofio fy mod i wedi gweld yr Elyrch yn chwarae ac yn ennill yn yr hen Wembley. Yn 1994 y digwyddodd hynny, a fi oedd gohebydd Radio Cymru a Radio Wales ar ymyl y cae pan guron nhw Huddersfield ar giciau o'r smotyn yn rownd derfynol Tlws Autoglass – cystadleuaeth gwpan ar gyfer clybiau dwy adran isaf Cynghrair Bêl-droed Lloegr yn unig.

Roedd hi'n teimlo fel petai'r gêm honno'n perthyn i oes arall gydag Abertawe mor agos at le yn yr adran uchaf cyn y gic gyntaf yn y Wembley newydd. Erbyn hanner amser, roedden nhw'n nes fyth ar ôl iddyn nhw sgorio dair gwaith. Daeth dwy o'r goliau gan Scott Sinclair mewn dau funud – y gyntaf o'r smotyn – a phan ychwanegodd Stephen Dobbie drydedd gôl bum munud cyn yr egwyl roedd hi'n ymddangos fod yr ornest ar ben, i bob pwrpas. Mwynheais fy mhaned o de ar yr egwyl gan feddwl ymhen llai nag awr y buaswn yn sylwebu ar bennod ryfeddol arall yn stori syfrdanol yr Elyrch. Ond daeth tro ar fyd yn gynnar yn yr ail hanner. O fewn llai na chwarter awr ar ôl yr egwyl, roedd y fantais o 3–0 wedi newid i 3–2, ac roedd yr awyrgylch yn y stadiwm wedi newid hefyd wrth i gefnogwyr Reading godi'u lleisiau am y tro cyntaf yn ystod y prynhawn.

Fe dynnodd eu tîm y gwynt o hwyliau Abertawe, a dim ond y postyn a gwaith arwrol y capten, Garry Monk, a rwystrodd Reading rhag dod yn gyfartal. Teimlais yr awyrgylch yn newid eto pan sgoriodd Sinclair o'r smotyn i'w gwneud hi'n 4–2 – roedd rhyddhad anferth cefnogwyr yr Elyrch wrth ddathlu'r gôl honno i'w weld yn glir er eu bod nhw mor bell o lle roeddwn i yn y pwynt sylwebu. Wrth i mi ddisgrifio'r gôl, roedd hi'r un mor amlwg fod y dyn oedd yn eistedd nesaf ataf – Iwan Roberts, cyn-ymosodwr Cymru – yn synhwyro bod Abertawe'n mynd i ennill y gêm. Roedd fy nghyd-sylwebydd yn gwybod yn iawn sut brofiad oedd chwarae ar achlysur fel hwn ac yntau wedi ennill yn rownd derfynol gêmau ailgyfle'r Bencampwriaeth gyda Chaerlŷr a cholli yn y rownd derfynol gyda Norwich. Roedd o'n hynod falch dros Abertawe ar ddiwedd y gêm oherwydd ei fod yn gwybod yn union cymaint y mae pob chwaraewr eisiau cyrraedd Uwch Gynghrair Lloegr a chwarae ynddi.

Ar ôl chwiban olaf un o'r buddugoliaethau pwysicaf yn hanes Abertawe, bues i'n holi chwaraewr canol cae yr Elyrch a Chymru, Joe Allen, yn Gymraeg ar ymyl y cae yn Wembley. Roeddwn wedi recordio sgyrsiau gyda Joe droeon ar ôl gêmau ers iddo fod yn chwarae yn y tîm cyntaf dros y pedair blynedd cyn hynny, ond doeddwn i erioed wedi'i weld yn gwenu gymaint. Gwên o foddhad oedd hi, wrth gwrs, a gwên o ryddhad hefyd gan fod y bêl wedi gwyro oddi arno fo i'r rhwyd ar gyfer gôl gyntaf Reading. Ond doedd dim ots o gwbl am hynny rŵan. Er mor gwrtais oedd Joe yn ôl ei arfer wrth ateb fy nghwestiynau, wnes i mo'i gadw'n rhy hir – yn naturiol, roedd o'n ysu i fynd yn ôl at aelodau eraill y tîm yn y stafell newid. Mae Adran Chwaraeon BBC Cymru wedi bod yn ffodus fod Joe yn un o dri Chymro Cymraeg sydd wedi chwarae'n rheolaidd dros dîm cyntaf Abertawe yn ystod y degawd diwethaf ac wedi bod yn ddigon bodlon i gael ei holi cyn ac ar ôl gêmau, hyd yn oed pan fo'r Elyrch wedi colli. Owain Tudur Jones a Ben Davies yw'r ddau arall.

Drannoeth y gêm ces i un o'r profiadau mwyaf arbennig a ges i erioed yn ystod fy nghyfnod gyda'r BBC. Roeddwn yn ddigon ffodus i fod yn un o griw o ohebwyr a gafodd deithio ar fws a gludodd garfan Abertawe o westy ar gyrion y ddinas i'r canol. Roedd gan y bws deulawr do agored, ac roedd y chwaraewyr ar y llawr uchaf er mwyn i'r miloedd o gefnogwyr a oedd wedi tyrru i'r strydoedd eu gweld nhw ac ymuno yn y dathlu. Ar lawr isaf y bws roeddwn i am y rhan fwyaf o'r daith, a bues i'n disgrifio'r awyrgylch a'r golygfeydd llawen mewn dwy sgwrs gydag Eleri Siôn ar Radio Cymru. Yn ogystal, bues i ar y llawr uchaf am gwta bum munud ar gyfer cyfweliad byw ar *Newyddion* S4C. Ellis Roberts fu'n fy holi, a gwnaeth o a Dave Owen, y dyn camera, yn wych i gynnal y cyfweliad o gwbl oherwydd ei bod mor gyfyng o ran lle! Cyn i'r bws gyrraedd pen y daith y tu allan i Neuadd Brangwyn, stopiodd am rai munudau y tu allan i gyn-gartref yr Elyrch – cae'r Vetch. Llifodd yr atgofion yn ôl am y dwsinau o gêmau y bues i'n sylwebu arnyn nhw yn yr hen faes. Roedd bron yn amhosibl credu, ar ôl i Abertawe wynebu timau fel Macclesfield a Cheltenham yno dros y blynyddoedd, y buasen nhw'n wynebu timau fel Manchester United a Chelsea yn Stadiwm Liberty y tymor dilynol. Roeddwn i wrth fy modd drostyn nhw.

Scott Sinclair ar ben ei ddigon ar ôl sgorio tair o bedair gôl Abertawe yn erbyn Reading yn Wembley

© Press Association

Scott Sinclair a'i gyd-chwaraewyr yn taflu Brendan Rodgers, rheolwr Abertawe, i'r awyr

© Press Association

Cymru v. Costa Rica

Mercher 29 Chwefror 2012,
Stadiwm Dinas Caerdydd

Gêm goffa Gary Speed

Cymru 0	Costa Riça 1
	Campbell 7'

'Gêm na feddyliais i erioed y byddwn i'n ei gweld.' Dyna eiriau llywydd Cymdeithas Bêl-droed Cymru, Phil Pritchard, yn y rhaglen ar gyfer y gêm hon. Roedd hynny'n crynhoi sut roeddwn i a thorf o fwy na thair mil ar hugain yn teimlo cyn y gic gyntaf yn Stadiwm Dinas Caerdydd. Bûm i a nifer fawr o'r un cefnogwyr yn y stadiwm ychydig dros dri mis ynghynt yn gwylio perfformiad calonogol Cymru wrth iddyn nhw guro Norwy o 4–1 mewn gêm gyfeillgar.

Hon oedd y drydedd fuddugoliaeth yn olynol i'r tîm cenedlaethol, a oedd wedi cael adfywiad gyda Gary Speed wrth y llyw. Ar ôl colli pedair o bum gêm gyntaf Speed yn rheolwr yn ystod 2011, roedden nhw wedi ennill pedair o'r pump nesaf: yr unig dro iddyn nhw golli yn y rhediad hwnnw oedd o 1–0 yn erbyn Lloegr yn Wembley. Mae'n ddigon posibl y buasen nhw wedi cael y pwynt roedden nhw'n ei haeddu pe bai Robert Earnshaw heb wastraffu cyfle campus i sgorio â llai na chwarter awr ar ôl yn y gêm honno yn rowndiau rhagbrofol Ewro 2012. Roedd eu gobeithion o gyrraedd y rowndiau terfynol wedi dod i ben cyn i Speed

Rheolwr Cymru, y diweddar Gary Speed,
yn gweiddi ar ei chwaraewyr yn ystod y
fuddugoliaeth dros Norwy

© Press Association

gael ei benodi'n olynydd i John Toshack, ond roedd y gwelliant mawr yn eu perfformiad a'u canlyniadau'n hwb mawr wrth baratoi ar gyfer rowndiau rhagbrofol Cwpan y Byd 2014. Roedd ennill yn erbyn Norwy'n dipyn o gamp o ystyried eu bod nhw un safle ar hugain yn uwch na Chymru yn rhestr FIFA, ac roedd y ddwy gôl gyntaf – gan Gareth Bale a Craig Bellamy – yn rhai ardderchog.

Dyna pam fod beth ddigwyddodd ychydig dros bythefnos yn unig wedyn yn gymaint o sioc. Ar fore Sul 27 Tachwedd, daeth y newyddion arswydus fod Speed wedi marw yn ei gartref yn Swydd Gaer a'i bod hi'n ymddangos iddo'i grogi ei hun. Mi glywais i'r newyddion ofnadwy trwy alwad ffôn gan Andrew Weeks, un o reolwyr Adran Chwaraeon BBC Cymru. Dywedodd wrthyf i fod yn barod i siarad ar raglen deyrnged ar Radio Cymru yn ystod y prynhawn. Roedd yn hynod o anodd credu'r peth. Er nad oeddwn yn adnabod Speed, roeddwn wedi'i holi cyn rhai o gêmau Cymru, a'r argraff ges i ohono oedd cymeriad siriol â synnwyr digrifwch, a dyn oedd â gwelediGaeth glir. Roedd yn ysgytwad llawer mwy i ddau o fy nghyd-sylwebwyr a oedd yn ei adnabod yn dda – Osian

Roberts, a oedd yn cydweithio efo fo'n hyfforddi'r tîm cenedlaethol, ac Iwan Roberts, cyn-ymosodwr Cymru fu'n cydchwarae efo Speed, ac oedd yn ffrind iddo.

Siaradodd Osian, Iwan a finnau ar y rhaglen radio deyrnged y prynhawn Sul hwnnw, a gyflwynwyd yn sensitif gan Dylan Jones. Roedd yn brofiad emosiynol i mi wrth wrando ar Iwan ac Osian – Osian yn enwedig oherwydd ei fod yn galaru dramor. Roedd o yn Qatar yn y Dwyrain Canol mewn cynhadledd i hyfforddwyr. Cafodd y rhaglen ei darlledu ar ôl i John Hardy a Waynne Phillips, a oedd yn nabod Speed yn dda, sylwebu'n broffesiynol iawn dan amgylchiadau anodd ar gêm ddi-sgôr Abertawe yn erbyn Aston Villa yn Uwch Gynghrair Lloegr yn Stadiwm Liberty. Ar ôl y gêm, dywedodd rheolwr Villa, Alex McLeish, y buasai o wedi deall yn iawn petai hi wedi cael ei gohirio yn sgil y newyddion ysgytiol. Ond ar ôl y chwiban olaf, dywedodd y tri aelod o dîm yr Elyrch oedd yn aelodau o garfan Cymru – Joe Allen, Neil Taylor ac Ashley Williams – eu bod nhw'n teimlo bod chwarae wedi bod yn arwydd o barch i Speed: 'Pêl-droed oedd ei fywyd,' meddai Williams.

Penderfynodd Cymdeithas Bêl-droed Cymru gynnal gêm goffa i Speed, a dewiswyd Costa Rica yn wrthwynebwyr gan mai yn erbyn tîm o'r wlad honno yr enillodd Speed y cyntaf o'i 85 cap fel chwaraewr dros Gymru ar Barc Ninian ar 20 Mai 1990. Roeddwn i yn y gêm honno'n cyflwyno rhaglen i Radio Cymru, ac mae gen i frith gof fod yr awyrgylch yn llawn hwyl a hithau'n ddiwedd tymor. Mewn gwrthgyferbyniad llwyr, bydd yr awyrgylch drist cyn y gêm rhwng Gymru a Chosta Rica, bron i ddwy flynedd ar hugain wedyn, yn aros yn fy nghof am byth.

Ychydig cyn y gic gyntaf, y tu ôl i un o'r goliau ac o dan faner y ddraig goch, cododd y cefnogwyr gardiau coch, gwyn a gwyrdd oedd yn sillafu'r llythrennau 'G-A-R-Y'. Ar y maes, roedd ei feibion Ed a Tom yn sefyll wrth ymyl Craig Bellamy, capten y tîm ar y noson, a'r capten arferol Aaron Ramsey, oedd wedi'i anafu. Ar yr ystlys roedd rhieni Speed, Roger a Carol, ynghyd â'i olynydd Chris Coleman, a oedd yn gyfaill agos iddo ar ôl cyd-chwarae efo fo. Serch hynny, nid Coleman oedd yn gofalu am y tîm yn erbyn Costa Rica. Osian Roberts gafodd y cyfrifoldeb hwnnw. Fe ddywedodd Osian wrtha i mai ei flaenoriaeth oedd gwneud yn siŵr fod y noson yn mynd yn unol â dymuniadau teulu Gary, a bod y staff, y chwaraewyr a'r cefnogwyr yn medru dod at ei gilydd i dalu teyrnged iddo. Roedd y gêm ei hun yn ail i hynny. Er clod i Osian, mi lwyddodd yn hynny o beth, ac roedd pawb yn cytuno bod yr achlysur yn deyrnged deilwng a theimladwy i Gary Speed.

Ar ddechrau ei gyfnod fel rheolwr, dywedodd Chris Coleman y gallai fod yn anodd iddo fo a'r chwaraewyr symud ymlaen yn eu gêmau nesaf – dwy gêm gyfeillgar cyn dechrau'r ymgyrch i gyrraedd rowndiau terfynol Cwpan y Byd. Collodd Cymru'r ddwy, ac yna cael eu curo eto yng ngêm gyntaf y rowndiau rhagbrofol yn erbyn Gwlad Belg yng Nghaerdydd. Cafodd James Collins ei anfon o'r maes am dacl drwsgl, a phedwar diwrnod yn ddiweddarach, aeth o ddrwg i waeth yn eu gêm ragbrofol nesaf yn Serbia. Fe gollon nhw o 6–1 – canlyniad gwaethaf y tîm cenedlaethol er 1996 – a'r profiad gwaethaf rydw i wedi'i gael erioed wrth sylwebu ar un o gêmau Cymru. Doedd hi'n ddim syndod i glywed Coleman yn dweud bod y perfformiad yn embaras ac yn annerbyniol. Roedd fy nghyd-sylwebydd, Iwan Roberts, yn feirniadol iawn hefyd, ond mae o ac Osian Roberts yn teimlo bod y cweir wedi gwneud byd o les i'r tîm oherwydd bod cyfle gan Coleman bellach i roi ei stamp o ar y tîm, a bod angen dechrau cyfnod newydd ar bawb, yn seicolegol ac ar y maes.

Roedd yn hollol naturiol ei bod wedi cymryd cryn amser i'r chwaraewyr ddygymod â'r sioc a'r siom o golli dyn oedd wedi dweud bod 'digonedd o dalent yn y garfan ac rydw i'n ffodus i fod yn rheolwr arni', ar ôl y fuddugoliaeth o 4–1 dros Norwy. O'm rhan i, gêm goffa Gary Speed oedd yr achlysur tristaf i mi ei ddisgrifio ar y radio erioed. O edrych ymlaen, efallai mai'r deyrnged arall fwyaf addas iddo fuasai gweld Cymru'n cyrraedd rowndiau terfynol pencampwriaeth ryngwladol a dangos ôl y gwaith da a wnaeth Speed yn ystod ei gyfnod byr wrth y llyw.

Gareth Bale yn ddigalon ar ddiwedd y cweir yn Serbia

Arsenal v. Abertawe

Sadwrn 1 Rhagfyr 2012, Stadiwm Emirates

Uwch Gynghrair Lloegr

Arsenal 0	Abertawe 2
	Michu 88', 90'

Hwn oedd ail dymor Abertawe yn Uwch Gynghrair Lloegr ar ôl iddyn nhw esgyn iddi yn nhymor 2011–12. Bu eu tymor cyntaf yn un llawer gwell na'r disgwyl. Y gred gyffredinol ymhlith y gohebwyr pêl-droed a'r cyn-chwaraewyr a fu'n rhoi eu barn yn y wasg ac yn y cyfryngau oedd y buasai tîm Brendan Rodgers yn ei chael hi'n anodd yn y brif adran. Doeddwn i'n synnu dim o glywed ateb y rheolwr i gwestiwn a holwyd yn y gynhadledd newyddion yn Stadiwm Liberty cyn gêm gyntaf y tymor: 'Beth ydi'r targed y tymor hwn?' a'r ateb: 'Gorffen yn ail ar bymtheg', sef y safle isaf posib i osgoi syrthio'n ôl i'r Bencampwriaeth.

Amcangyfrifwyd bod sicrhau dyrchafiad wedi gwarantu tua £90m. i'r Elyrch, ond ychydig iawn o arian roedd Rodgers wedi'i wario ar gryfhau ei garfan. Dim ond pedwar chwaraewr oedd wedi ymuno â'r clwb am fwy na miliwn o bunnau, yn eu plith: yr ymosodwr Danny Graham o Watford am £3.5m – record i Abertawe, ond swm bychan yng nghyd-destun yr Uwch Gynghrair – a'r golwr Michel Vorm o Utrecht, yr Iseldiroedd am £1.5m. Doedd hi ddim yn argoeli'n dda ar ôl iddyn nhw fethu sgorio yn eu pedair gêm gyntaf – yn cynnwys gêmau cartref yn erbyn Wigan a Sunderland – ac er eu bod nhw wedi gwella tipyn erbyn y Nadolig, hanner ffordd drwy'r tymor roedden nhw'n bymthegfed yn y tabl.

Y brif broblem oedd nad oedden nhw wedi ennill oddi cartref, ond gwnaethon nhw hynny o'r diwedd yn eu gêm gyntaf yn 2012 yn erbyn Aston Villa. Yn eu gêm nesaf, cawson nhw fuddugoliaeth nodedig gyntaf y tymor – dod yn ôl i ennill gartref o 3–2 yn erbyn Arsenal. Ar ôl hynny roedden nhw'n anlwcus i beidio â churo Chelsea mewn gêm gyfartal 1–1 yn Stadiwm Liberty, ac yn ystod mis Mawrth, enillon nhw dair gêm yn olynol heb ildio gôl. Yr ail o'r gêmau hynny oedd buddugoliaeth gampus gartref o 1–0 dros Manchester City – y tîm oedd wedi rhoi cweir o 4–0 iddyn nhw yng ngêm gyntaf y tymor – ac yn eu gêm olaf ym mis Mai cawson nhw ganlyniad da arall gartref yn erbyn Lerpwl. Sgoriodd Graham gôl hwyr – ei ddeuddegfed yn y Gynghrair i'r Elyrch – i sicrhau tri phwynt, ac fe orffenon nhw'r tymor yn unfed ar ddeg yn y tabl.

Ymateb Michu ar ôl sgorio gôl gyntaf Abertawe

Gwaetha'r modd, gêm olaf y tymor oedd gêm olaf Rodgers yn rheolwr y clwb. Roedd y gwaith gwych a gyflawnwyd ganddo wedi tynnu sylw clybiau eraill, a doedd dim syndod felly fod Lerpwl eisiau denu Rodgers atyn nhw i gymryd lle Kenny Dalglish ychydig wythnosau'n unig ar ôl i dîm Rodgers guro tîm Dalglish. Roedd hynny'n golygu bod Huw Jenkins, Cadeirydd Abertawe, mewn sefyllfa hen gyfarwydd, ond annifyr – roedd o'n gorfod chwilio am reolwr newydd ar gyfer tymor newydd am y trydydd tro mewn tair blynedd. Ni allai'r cefnogwyr ddim ond gobeithio y buasai Jenkins yn dangos eto fod ganddo ddawn go arbennig wrth benodi rheolwyr. Roedd Rodgers wedi bod yn benodiad ysbrydoledig. Roedd ei dîm wedi creu cryn argraff, nid yn unig oherwydd nifer o'u canlyniadau, ond oherwydd safon eu perfformiadau hefyd. Cawson nhw'r llysenw Swanselona, oherwydd eu bod nhw'n rhoi'r un pwyslais ar basio'r bêl â Barcelona.

Un o gyn-chwaraewyr Barcelona – ac un o gyn-chwaraewyr gorau'r byd – oedd dewis Jenkins y tro hwn, sef cyn-gapten Denmarc, Michael Laudrup. Yn 1999 Laudrup enillodd y wobr am y chwaraewr tramor gorau yn Sbaen am y pum mlynedd ar hugain cyn hynny, ar ôl iddo ddisgleirio dros Real Madrid yn ogystal â Barcelona, ond doedd ei record fel rheolwr ddim hanner mor ddisglair. Roedd wedi cael llwyddiant yn ei swydd reoli gyntaf gyda Brondby yn ei famwlad ac wedi gwneud yn dda efo Getafe yn Sbaen, ond doedd o ddim wedi cael cystal hwyl yn ei ddwy swydd ers hynny gyda Spartak Moscow yn Rwsia a Real Mallorca yn Sbaen. Yn ei gynhadledd newyddion gyntaf yn rheolwr Abertawe, cyfaddefodd Laudrup nad oedd o'n gwybod fawr ddim am y clwb pan gafodd o gynnig y swydd – rydw i'n fodlon cyfaddef rŵan i mi amau a oedd Jenkins wedi dewis yn gall y tro hwn.

Diflannodd fy amheuon yn ystod misoedd cyntaf Laudrup wrth y llyw. Roeddwn i'n sylwebu ar gêm agoriadol y tymor – buddugoliaeth ysgubol o 5–0 i'r Elyrch ar faes Queens Park Rangers, a dwy o'r goliau gan Michu yn ei gêm gyntaf i'r ymwelwyr. Dim ond dwy filiwn o bunnau oedd Laudrup wedi'i dalu i Rayo Vallecano yn Sbaen am yr ymosodwr, ac roedd hi'n ymddangos y gallai fod yn gaffaeliad i'w glwb newydd. Erbyn ymweliad nesaf Abertawe â Llundain ar Sadwrn cyntaf Rhagfyr roedden nhw'n nawfed, un pwynt yn unig y tu ôl i'r tîm roedden nhw'n paratoi i'w herio – Arsenal.

Roeddwn i'n edrych ymlaen yn arw at y gêm hon. Doeddwn i ddim wedi bod i Stadiwm Emirates ers i Arsenal ddechrau chwarae yno yn nhymor 2006–07 ac roedd fy nghyd-weithwyr oedd wedi bod yno yn dweud wrthyf ei fod yn lle go arbennig. Ches i mo fy siomi – hyd yn oed cyn i mi fynd i mewn i'r maes. Wrth gerdded tuag at y fynedfa fe ges i flas ar edrych ar gyfres o faneri oedd wedi'u codi gan y clwb â lluniau rhai o gyn-chwaraewyr amlycaf Arsenal arnyn nhw, yn cynnwys Thierry Henry a Frank McLintock. Rydw i'n gyfarwydd iawn â Henry, wrth gwrs, ac yntau'n brif sgoriwr y tîm enillodd Bencampwriaeth yr Uwch Gynghrair yn nhymor 2003–04 heb golli gêm, ond rydw i'n ddigon hen hefyd i gofio McLintock yn chwarae. McLintock oedd capten y tîm enillodd y 'dwbl'– Pencampwriaeth yr hen Adran Gyntaf a Chwpan yr FA – yn nhymor 1970–71. Bues i hefyd yn darllen negeseuon gan gefnogwyr y clwb sydd wedi'u cerfio ar gerrig a osodwyd ar y llawr y tu allan i'r stadiwm. Mae rhai o'r negeseuon ar y cerrig, a brynwyd gan gefnogwyr, yn rhai teimladwy er cof am anwyliaid a fu'n ddilynwyr Arsenal, ac mae eraill yn cynnwys enwau pobl a llefydd ym Mhrydain a thramor. Roedd yn brofiad trawiadol i mi fwrw golwg arnyn nhw.

Ches i mo fy siomi y tu mewn chwaith o ran y gêm. Chwaraeodd Abertawe'n ardderchog – roedden nhw'n llawn hyder yn ystod yr hanner cyntaf wrth reoli'r gêm am gyfnodau hir efo'u symudiadau taclus, ac oni bai am ddau arbediad o fewn ychydig eiliadau i'w gilydd gan golwr y tîm cartref, Wojciech Szczęsny, buasai Àngel Rangel wedi rhoi'r ymwelwyr ar y blaen. Wnaeth Arsenal ddim bygwth cyn yr egwyl – rydw i wedi edrych ar y nodiadau a ysgrifennais tra oeddwn yn sylwebu, a does dim sôn eu bod wedi creu unrhyw gyfleoedd i sgorio yn yr hanner cyntaf. Gwnaethon nhw wella ar ôl yr egwyl, fel y buasai rhywun yn ei ddisgwyl o gofio eu bod nhw gartref, ond roedd yr Elyrch yn edrych yn ddigon cartrefol ar y cyfan, a gwastraffodd eu heilydd, Dwight Tiendalli, gyfle i'w rhoi ar y blaen gyda saith munud ar ôl. Roeddwn i'n teimlo bod hynny'n drueni mawr – roedd Tiendalli a'i gyd-chwaraewyr yn haeddu gôl.

Michu yn neidio o lawenydd ar ôl ei ail gôl yn Stadiwm Emirates

© Press Association

Gyda dau funud ar ôl mi gawson nhw eu haeddiant pan drawodd Michu ergyd gelfydd i gornel y rhwyd o ychydig y tu mewn i'r cwrt cosbi ar ôl iddo gydchwarae'n hyfryd gyda'r eilydd, Luke Moore – ac roedd gwell i ddod. Yn yr amser a ychwanegwyd at ddiwedd y gêm gan y dyfarnwr, sgoriodd Michu eto ar ôl i dacl dda gan Nathan Dyer ar Carl Jenkinson yn hanner Abertawe ryddhau'r Sbaenwr. Doedd yr un o chwaraewyr Arsenal yn agos ato, ac mi gafodd o amser i arafu wrth iddo redeg at ymyl y cwrt er mwyn sicrhau ei fod o'n taro'r bêl yn gywir heibio i Szczęsny.

Roedd yn ddiweddglo gwefreiddiol. 'Fantastic' oedd disgrifiad Laudrup o'r canlyniad, a doedd o ddim yn gor-ddweud. Roedd ei dîm wedi ennill oddi cartref yn erbyn un o brif dimau'r Uwch Gynghrair – rhywbeth nad oedd tîm Rodgers wedi llwyddo i'w wneud yn ystod y tymor cynt. Yn ogystal â Michu, dangosodd tri aelod arall o un-ar-ddeg yr Elyrch yn Stadiwm yr Emirates – Jonathan De Guzman, Ki Sung-Yeung a Chico Flores – fod gan Laudrup lygad am chwaraewr galluog. Roedd y rheolwr wedi ymateb yn effeithiol iawn ar ôl i ddau o chwaraewyr gorau'r clwb adael. Aeth Joe Allen i ymuno â Rodgers yn Lerpwl cyn dechrau'r tymor, ac aeth Scott Sinclair i Manchester City ddiwedd mis Awst.

Gwnaeth y fuddugoliaeth argraff fawr ar ohebwyr y papurau newydd, a mwynheais ddarllen un adroddiad ar y gêm yn arbennig, sef adroddiad Alyson Rudd yn atodiad pêl-droed y *Times – The Game* – ar y dydd Llun ar ôl y gêm. Roedd yn cynnwys brawddeg wych, yn fy marn i, oedd yn crynhoi'r ffaith fod Abertawe a'u pasio pwrpasol wedi curo tîm oedd â thraddodiad o chwarae'r un arddull o bêl-droed: 'They moved and grooved as if part of a vintage Arsenal tribute group.'

Yn sicr buasai unrhyw grŵp roc wedi bod yn falch o gydsymud a chydberfformio ar lwyfan cystal ag y gwnaeth yr Elyrch ar 'lwyfan' Stadiwm Emirates. Bydd yr hyn a welais ac a glywais yn y munudau ar ôl y chwiban olaf yn aros yn hir yn fy nghof – wyneb digalon Arsène Wenger, rheolwr Arsenal, wrth iddo droi ar ei sawdl i lawr y twnnel, nifer fawr o gefnogwyr y clwb yn ei fŵio fo a'i chwaraewyr, ond wedyn cefnogwyr y tîm cartref yn cymeradwyo chwaraewyr Abertawe. Roedd yn hyfryd clywed y gymeradwyaeth honno ar ôl perfformiad penigamp gan dîm Michael Laudrup.

Abertawe v. Bradford

Sul 24 Chwefror 2013, Wembley

Rownd derfynol
Cwpan Capital One

Abertawe 5	Bradford 0
Dyer 16' + 47'	
Michu 40'	
de Guzman 59' (sm) + 90'	

Bu tymor 2012–13 yn un rhyfeddol o lwyddiannus i Abertawe. Yn ogystal â gorffen yn hanner uchaf tabl Uwch Gynghrair Lloegr, fe lwyddon nhw i gyrraedd rownd derfynol Cwpan y Gynghrair Bêl-droed, a byddai buddugoliaeth yn Wembley yn golygu y bydden nhw'n ennill un o'r prif dlysau yn Lloegr am y tro cyntaf yn hanes y clwb, a hynny ym mlwyddyn eu canmlwyddiant. Byddai hefyd yn golygu y bydden nhw'n ennill lle yng Nghynghrair Europa, a doedd yr Elyrch ddim wedi chwarae mewn cystadleuaeth yn Ewrop ers tymor 1991–92. Y pryd hwnnw, gwnaeth tîm Frank Burrows, oedd yn yr hen Drydedd Adran, ymdrech lew yn erbyn Monaco, un o dimau gorau'r byd, yr oedd Arsène Wenger yn rheolwr arno ar y pryd, yn rownd gyntaf Cwpan Enillwyr Cwpanau Ewrop. Dim ond o 2–1 gollon nhw yn y cymal cyntaf ar y Vetch, cyn cael cweir o 8–0 yn yr ail gymal yn Ffrainc. Aeth Monaco ymlaen i gyrraedd y rownd derfynol, ond cawson nhw eu curo gan Werder Bremen.

Dros ugain mlynedd yn ddiweddarach, roedd tîm Michael Laudrup wedi gwneud yn arbennig o dda i gyrraedd y rownd derfynol hon. Roedden nhw wedi curo Chelsea dros ddau gymal yn y rownd gyn-derfynol. Ar ôl eu buddugoliaeth annisgwyl o 2–0 yn y cymal cyntaf yn Stamford Bridge, bu gêm ddi-sgôr yn yr ail gymal yn Stadiwm Liberty yn ddigon. Di-fflach oedd y gêm honno ar wahân i un digwyddiad dadleuol. Gyda llai na chwarter awr ar ôl, cafodd chwaraewr canol cae Chelsea, Eden Hazard, ei anfon o'r maes am gicio un o'r bechgyn oedd yn 'nôl y bêl ar ôl iddi fynd oddi ar y cae. Roedd y llanc wedi gorwedd ar y bêl yn hytrach na'i rhoi hi i golwr Abertawe, Gerhard Tremmel, am gic gôl. Ar ôl y gem, wrth i mi sgwrsio â gohebwyr eraill tra oedden ni'n aros i holi chwaraewyr yr Elyrch yng nghyntedd y stadiwm, ces wybod mai Charlie Morgan, dwy ar bymtheg oed – mab y miliwnydd Martin Morgan sy'n un o gyfarwyddwyr y clwb – oedd y bachgen gafodd ei gicio gan Hazard. Ychydig funudau wedyn, cerddodd y llanc yn frysiog drwy'r cyntedd ac i mewn i lifft gydag aelod o staff tîm Abertawe'n dynn wrth ei ochr cyn i unrhyw un ohonon ni ohebwyr allu gofyn cwestiwn iddo.

O ran y gêm yn Wembley, y pryder o safbwynt yr Elyrch oedd fod Bradford wedi gwneud hyd yn oed yn well na nhw i gyrraedd yno trwy guro tri thîm o'r Uwch Gynghrair – dair adran yn uwch na nhw – yn eu rhediad rhyfeddol yn y Cwpan. Roedd hon yn rownd derfynol nad oedd neb wedi'i rhagweld, ac er bod Abertawe'n ffefrynnau i godi'r Cwpan, fe allai fod yn gêm ddigon anodd iddyn nhw. Doedd dim pwysau ar eu gwrthwynebwyr, ac oherwydd hynny roedd posibilrwydd y gallen nhw greu sioc arall. Union flwyddyn ynghynt, yn rownd derfynol yr un gystadleuaeth yn Wembley, roeddwn wedi gweld Caerdydd yn colli yn y modd mwyaf creulon ar giciau o'r smotyn ar ôl iddyn nhw chwarae'n ardderchog yn erbyn Lerpwl a doeddwn i ddim eisiau teimlo'r un siom eto a gweld Abertawe'n cael eu curo.

Dyna oedd ar fy meddwl i wrth i mi gerdded at fy sedd ychydig funudau cyn y gic gyntaf. Roedd yr awyrgylch yn llawn cyffro, ac oddeutu 36,000 o gefnogwyr yr Elyrch, a bron cynifer o gefnogwyr Bradford, yn llenwi Wembley. John Hardy oedd yn sylwebu ar y gêm ar Radio Cymru, ac roeddwn i'n hapus o fod wedi cael fy newis yn ohebydd ymyl y cae ar

Y Cymro Cymraeg, Ben Davies, yn codi Cwpan Capital One
ar ôl i Abertawe guro Bradford yn Wembley
© Press Association

ran Radio Cymru a Radio Wales. Roedd fy sedd ychydig resi y tu ôl i'r fan lle roedd Laudrup, ei dîm hyfforddi ac eilyddion Abertawe'n eistedd yn agos at y maes chwarae. Wrth i mi gerdded heibio i'w seddi, sylwais nad oedden nhw'n siarad rhyw lawer â'i gilydd – arwydd o hyder tawel ynteu nerfusrwydd, tybed? Fy nghyfrifoldeb i yn ystod y gêm oedd cadw llygad ar unrhyw symudiadau yn y seddi o 'mlaen o ran eilyddion, a darlledu unrhyw wybodaeth berthnasol yn Gymraeg ac yn Saesneg, a hefyd disgrifio ymateb Laudrup i unrhyw ddigwyddiadau o bwys ar y cae.

Cyn y gêm, fy nhasg oedd ceisio cael gwybod pwy oedd yn nhîm Laudrup cyn y cyhoeddiad swyddogol. Llwyddais i wneud hynny. Heb enwi enwau, mae'n help mawr fy mod yn nabod rhai o aelodau staff yr Elyrch ers blynyddoedd! Ar ôl y gêm, fy nhasg oedd perswadio chwaraewyr neu staff Abertawe i sgwrsio efo fi yn fyw ar y radio cyn gynted ag oedd modd. Yn naturiol, felly, roeddwn i'n gobeithio'n fawr y buasen nhw'n ennill, a thrwy hynny'n gwneud fy ngwaith gymaint yn haws.

Doedd fawr o amheuaeth yn ystod y gêm mai Abertawe oedd yn mynd i ennill. Roedden nhw'n edrych yn gwbl gyfforddus, ac aethon nhw ar y blaen o 2–0 ychydig cyn hanner amser. Daeth yr ornest i ben i bob pwrpas pan sgoriodd Nathan Dyer y drydedd gôl yn gynnar yn yr ail hanner. Aeth hi o ddrwg i waeth i Bradford druan pan gafodd eu golwr, Matt Duke, ei anfon o'r maes am faglu Jonathan de Guzmán yn y cwrt cosbi, a sgoriodd de Guzmán o'r smotyn. Cafodd o gôl arall yn yr amser a ychwanegwyd at ddiwedd y gêm, ond erbyn hynny roedd cefnogwyr yr Elyrch wedi hen ddechrau dathlu'r fuddugoliaeth. Roedd yr awyrgylch yn wych a rhaid canmol cefnogwyr Bradford. Roedden nhw'n dal i chwifio'u baneri a chanu er gwaetha'r ffaith fod eu tîm yn cael cweir.

Yn ffodus i mi, ar ôl i Abertawe fynd ar y blaen o 4–0, roedd eilyddion wedi cymryd lle Dyer a'r Cymro Cymraeg, Ben Davies. Yn ystod chwarter awr olaf y gêm daeth y ddau i eistedd ychydig resi o 'mlaen i ac mi ges i gyfarwyddyd yn fy nghlustffonau i gael ymateb y ddau cyn iddyn nhw ddychwelyd i'r maes i ddathlu efo'u cyd-chwaraewyr ar ôl y chwiban olaf.

Gyda chymorth Graham Davies, un o gynhyrchwyr Adran Chwaraeon BBC Cymru oedd yno gyda fi, llwyddais i stopio'r ddau ond doedd y sgyrsiau gyda nhw ddim cystal ag oeddwn wedi'i obeithio. Sgwrs fyw fer ges i gyda Ben Davies ar Radio Cymru oherwydd fy mod i'n gallu gweld ar ei wyneb ei fod o'n ysu i fynd yn ôl ar y cae ac mi ges i sgwrs hyd yn oed yn fyrrach gyda Dyer ar Radio Wales. Yn anffodus, ches i ddim cyfle i ofyn mwy nag un cwestiwn iddo cyn gweld dyn go bwysig yr olwg yn gwneud stumiau arnaf. Roedd hwn yn ei gwneud hi'n amlwg fod yn rhaid i mi adael i Dyer fynd. Ces wybod yn nes ymlaen mai'r rheswm am hynny oedd fod trefniant wedi'i wneud gyda swyddogion y Gynghrair i Dyer a'r sgorwyr eraill gael eu holi ar y maes yn syth ar ôl y gêm. O diar!

Doedd gen i ddim hawl i fynd ar y maes, felly treuliais y munudau nesaf yn rhedeg – wel, rhywbeth yn debyg i redeg – yn ôl ac ymlaen ar hyd yr ystlys yn ceisio tynnu sylw chwaraewyr Abertawe oedd yn dal ar y cae a'u perswadio nhw i ddod draw i siarad â fi. Doedd hynny ddim yn hawdd, a hwythau ar ben eu digon yng nghanol y maes yn gwrando ar filoedd o'u cefnogwyr yn morio canu 'Hymns and Arias', ond ces i sgyrsiau gyda'r ddau chwaraewr oedd wedi codi'r Cwpan gyda'i gilydd – capten y tîm yn y rownd derfynol, Ashley Williams, a chapten y clwb, Garry Monk.

Ond doeddwn i'n dal ddim wedi cael ymateb Laudrup. Ble roedd o? Roedd hi'n bwysig clywed ganddo cyn i raglen Radio Wales ddod i ben, a doedd dim golwg ohono ar y cae. Rhuthrais tuag at y twnnel a gweld ei fod ar ganol cyfweliad y tu allan i ystafell newid Abertawe. Ar ôl iddo orffen y sgwrs, eglurodd un o swyddogion y clwb wrtho fy mod yn aros amdano a daeth Laudrup ata i. I unrhyw un a welodd y gêm, roedd un cwestiwn pwysig nad oeddwn i wedi cael cyfle i'w ofyn i Dyer – pam yn y byd fod Dyer a de Guzmán wedi bod yn dadlau mor ffyrnig ynglŷn â phwy ddylai gymryd y gic o'r smotyn? Roeddwn i'n deall bod Dyer eisiau cyfle i sgorio'i drydedd gôl, ond wyddwn i ddim pam fod y ddau wedi ffraeo cymaint, a Michu wedi gorfod eu gwahanu. Syrthiodd Laudrup ar ei fai, a chyfaddef ei fod wedi anghofio dweud wrth ei chwaraewyr cyn y gêm p'un ohonyn nhw fuasai'n cymryd cic o'r smotyn pe bai'r sefyllfa honno'n codi. Yn rhyfedd iawn, doedd yr un dyfarnwr wedi caniatáu cic o'r fath i Abertawe drwy gydol y tymor. Roedd hi mor syml â hynny, a braf fod Laudrup yn gallu sôn am ei gamgymeriad â gwên lydan ar ei wyneb. Roedd hefyd yn brofiad braf i mi fod yn medru ei longyfarch ar gyflawni'r fath gamp yn ei dymor cyntaf gyda'r clwb. Wrth yrru adref o Lundain, roedd hi'n rhyfeddol meddwl fy mod i wedi gweld Abertawe'n ennill yn Wembley ddwywaith mewn llai na dwy flynedd, ac y bydden nhw'n chwarae yng Nghynghrair Europa ddeng mlynedd ar ôl i'w dyfodol yng Nghynghrair Lloegr fod yn y fantol.

Michael Laudrup, rheolwr Abertawe, yn cael ei godi
i'r awyr gan ei chwaraewyr

© Press Association

Wrecsam v. Grimsby

Rownd derfynol Tlws yr FA

Wrecsam 1	Grimsby 1
Thornton 82' (sm)	Cook 71'
4–1 ar ôl ciciau o'r smotyn	

'WREXHAM ARE MAGIC!' Dyna'r geiriau sydd ar y sgarff coch a gwyn sydd wedi bod gen i ers y 1970au hwyr. Mae gen i frith gof i mi ei brynu yn ystod tymor 1977–78, oedd yn dymor llwyddiannus iawn i Wrecsam. Yn ogystal ag ennill Pencampwriaeth hen Drydedd Adran Lloegr, fe gyrhaeddon nhw rownd wyth olaf Cwpan yr FA a Chwpan y Gynghrair Bêl-droed hefyd. Gwnaethon nhw berfformio'n ardderchog yn erbyn Arsenal yng Nghwpan yr FA a Lerpwl yng Nghwpan y Gynghrair Bêl-droed, er mai colli fu'r hanes yn y ddwy gêm. Roedd torfeydd o fwy na 25,000 o bobl yn y Cae Ras yn gwylio'r ddwy gêm – cyfnod euraid i'r clwb mwyaf yng ngogledd Cymru.

Ar ôl y dyddiau da, daeth tro ar fyd, ac ar 22 Ebrill 2008 collodd Wrecsam o 2–0 yn Henffordd, a syrthio o'r Gynghrair ar ôl 87 o flynyddoedd. Trwy gyd-ddigwyddiad llwyr, digwyddodd hynny union ddeng mlynedd ar hugain ar ôl buddugoliaeth o 7–1 dros Rotherham ar y Cae Ras a sicrhaodd eu dyrchafiad i'r hen Ail Adran – y Bencampwriaeth erbyn hyn. Roedd hi'n sefyllfa drist iawn, ac fel cefnogwr brwd ers degawdau, trist oeddwn innau hefyd. Dechreuodd Dad a fi fynd yn y car o'n cartref yn Llanfairfechan i wylio Wrecsam yn y 1970au cynnar. Roedd y siwrnai honno'n un llawer hirach y pryd hwnnw cyn i'r A55 o Gaergybi i Gaer gael ei hadeiladu. Buon ni'n aros mewn tagfeydd traffig yng Nghonwy yn aml, ond er gwaethaf hynny, aethon ni yn y car i'r Cae Ras nifer fawr o weithiau o ganol y '70au ymlaen. Yn Eisteddle Ffordd yr Wyddgrug mewn un gornel o'r maes bydden ni'n eistedd gan amlaf, ac roeddwn i'n mwynhau llafarganu 'Wrexham' gyda'r cefnogwyr eraill. Rwyf hefyd yn cofio chwerthin ar ymddygiad dynes ganol oed a eisteddai ychydig resi o'n blaenau ni. Er ei bod hi'n gwisgo sgarff Wrecsam, roedd hi'n treulio cyfnodau hir yn ystod gêmau'n gwawdio chwaraewyr Wrecsam pan oedden nhw'n gwneud camgymeriadau ac yn gweiddi ar gynorthwy-ydd y dyfarnwr oedd ar yr ystlys. Rydw i'n cofio ei geiriau hi hyd heddiw: 'Linesman, stick that flag somewhere ...'

Felly, ym mis Mawrth 2013 roeddwn i'n teimlo'n eithriadol o gyffrous wrth deithio i Wembley. Dyma'r tro cyntaf yn eu hanes i Wrecsam chwarae yno, ac er bod hynny'n stori dda ynddi ei hun, roedd hi'n stori well fyth yng nghyd-destun ehangach pedwar prif glwb pêl-droed Cymru. Dim ond mis oedd 'na ers i Abertawe ennill Cwpan Capital One yn Wembley, ac roedd Casnewydd wedi chwarae yno lai na blwyddyn ynghynt. Ymweliad Wrecsam â'r stadiwm oedd y seithfed tro i un o'r pedwar clwb fod yno mewn llai na phum mlynedd ers i Gaerdydd gyrraedd rownd derfynol Cwpan yr FA yn 2008 – roedd hynny'n anhygoel!

Hwn oedd y pumed ymweliad â'r Wembley newydd i mi, ac o bosib yr un agosaf at fy nghalon, er 'mod i bob amser yn dymuno'n dda i dimau Cymru ar achlysuron mawr. Roedd nerfau'n dechrau corddi'n gymysg â'r cyffro wrth i'r gic gyntaf agosáu – roeddwn i'n gobeithio'n wirioneddol y byddwn yn sylwebu ar fuddugoliaeth i dîm Andy Morrell. Fy nghyd-sylwebydd oedd cyn-chwaraewr canol cae Wrecsam Waynne Phillips, a chwaraeodd yn eu tîm nhw gyda Morrell.

Roedd Waynne, a nifer fawr o'r tua ugain mil o gefnogwyr Wrecsam oedd yn Wembley, wedi cael trafferth gadael y dref oherwydd yr eira mawr a ddisgynnodd ar y dref ddeuddydd yn unig cyn y gêm fawr.

Cerddodd llawer o'r cefnogwyr am filltiroedd – rhai efo'u plant – er mwyn cyrraedd y bysus oedd yn eu cludo i Lundain. Ar ôl gwneud y fath ymdrech, ychydig iawn o reswm fu ganddyn nhw i godi'u lleisiau yn ystod hanner cyntaf di-sgôr a di-nod.

Gwastraffodd Brett Ormerod gyfle da i Wrecsam yn ystod yr ail hanner, pan beniodd y bêl dros y bar, a llai na phum munud ar ôl hynny aeth Grimsby ar y blaen yn erbyn rhediad y chwarae. Wrth iddi ddechrau ymddangos fod y tîm o Loegr yn mynd i gipio buddugoliaeth nad oedden nhw'n ei haeddu, cafodd Dean Keates, capten Wrecsam, ei faglu yn y cwrt cosbi a phwyntiodd y dyfarnwr, Jonathan Moss, at y smotyn. Er mawr ryddhad i'r miloedd oedd wedi gwneud cymaint o ymdrech i wylio'u tîm yn Wembley sgoriodd Kevin Thornton ac aeth y gêm i amser ychwanegol. Gyda munud yn unig ar ôl, daeth Danny Wright o fewn trwch blewyn i sgorio gydag ergyd wych, ond llwyddodd golwr Grimsby, James McKeown, i wthio'r bêl yn erbyn y postyn.

Wrecsam oedd wedi rheoli'r hanner awr ychwanegol – a'r rhan fwyaf o'r awr a hanner cyn hynny hefyd a bod yn onest – ond wrth i mi baratoi i sylwebu ar y ciciau o'r smotyn, roeddwn i'n ofni'r gwaethaf. Droeon yn y gorffennol, roeddwn wedi gweld timau a ddylai fod wedi ennill gêmau Cwpan yn colli ar giciau o'r smotyn. Ond diolch byth, doedd dim rheswm i mi boeni y tro hwn, oherwydd methodd Grimsby eu dwy gic gyntaf – trawodd Sam Hatton y postyn, yna aeth cynnig Richard Brodie dros y bar. Erbyn i Joe Colbeck sgorio, roedd hi'n rhy hwyr. Roedd chwaraewyr Wrecsam – Adrian Cieslewicz, Danny Wright a Chris Westwood – i gyd wedi taro'r bêl yn hyderus i gefn y rhwyd, a chadwodd Johnny Hunt ei ben i selio buddugoliaeth hanesyddol. Wrecsam oedd y tîm cyntaf o Gymru i ennill y gystadleuaeth hon. Fel Casnewydd flwyddyn ynghynt, roedd Bangor wedi colli yn y rownd derfynol mewn gêm ailchwarae yn erbyn Northwich Victoria yn 1984.

Roedd Andy Morrell yn llawn canmoliaeth i'w dîm ar ôl y gêm, a datgelodd yn ogystal fod y chwaraewyr wedi anghofio ymarfer ciciau o'r smotyn y diwrnod blaenorol oherwydd eu bod nhw mor oer ar ddiwedd eu sesiwn ymarfer! Ond hyd yn oed wrth iddo ddweud pa mor falch oedd o fod ei dîm wedi ennill y tlws, pwysleisiodd mai sicrhau dyrchafiad yn ôl i'r Gynghrair oedd blaenoriaeth pawb. Serch hynny, go brin y gallai Morrell fod wedi dychmygu y buasai o a'i garfan yn ôl yn Wembley yn wynebu Casnewydd yn rownd derfynol gêmau ailgyfle'r Gyngres prin chwe wythnos yn ddiweddarach.

Roeddwn innau yno eto hefyd, yn ohebydd ar ymyl y cae yn hytrach na sylwebydd y tro hwn, ond ar ôl y dagrau o lawenydd oedd yn llygaid chwaraewyr Wrecsam wrth iddyn nhw godi Tlws yr FA, dagrau o dristwch oedd yn eu llygaid ar ôl iddyn nhw ildio dwy gôl hwyr a chael eu curo o 2–0 gan Gasnewydd. Gwelais y dagrau rheiny'n hollol glir wrth i mi holi'r chwaraewyr ar Radio Wales mor fuan ag oedd modd ar ôl y chwiban olaf. Dywedodd Keates ac Ormerod wrthyf fod colli'n brofiad torcalonnus. Buaswn i'n gelwyddgi pe bawn i'n ceisio honni nad oeddwn innau'n rhannu'r teimlad hwnnw.

Chwaraewyr Wrecsam ar ôl gwylio Johnny Hunt
yn sgorio'r gic fuddugol o'r smotyn

© Press Association

Andy Morrell, chwaraewr-reolwr Wrecsam, a Dean Keates, y capten, yn cusanu Tlws yr FA © Press Association

Wedi dweud hynny, roeddwn yn falch dros chwaraewyr Casnewydd a'u rheolwr, Justin Edinburgh. Roedden nhw wedi gwneud yn syndod o dda yn nhymor llawn cyntaf Edinburgh wrth y llyw, yn enwedig yn hwyr yn y tymor. Ar ôl i nifer o'u gêmau yn gynharach yn y tymor gael eu gohirio oherwydd yr effaith a gafodd y tywydd mawr ar gyflwr eu maes, Rodney Parade a meysydd timau eraill, bu raid iddyn nhw chwarae 11 gêm mewn 29 diwrnod cyn y gêmau ailgyfle hyd yn oed, heb sôn am gyrraedd y rownd derfynol wedyn. O ran Wrecsam, yn naturiol, mae'n anodd peidio â meddwl y buasai wedi bod yn llawer gwell iddyn nhw guro Casnewydd na Grimsby. Cofiwch chi, wrth hel atgofion am sylwebu ar gic Hunt o'r smotyn a sôn am ei gyd-chwaraewyr yn rhuthro draw ato, un o'r geiriau ar fy sgarff hynafol sy'n crynhoi'r profiad i mi yw *magic*. Ac mi oedd Wrecsam y diwrnod hwnnw.

Caerdydd v. Charlton

Pencampwriaeth Lloegr

Caerdydd 0	Charlton 0

'Hir pob aros.' O ran cefnogwyr Caerdydd ac o'm rhan i, fel rhywun sydd yn darlledu o'u gêmau'n aml, roedd yr holl aros i weld allen nhw godi i Uwch Gynghrair Lloegr yn teimlo'n hir iawn erbyn dechrau tymor 2012–13. Tra oedd Abertawe wedi dod yn beryglus o agos at syrthio o'r Gynghrair yn nhymor 2002–03, ar ddiwedd yr un tymor roedd yr Adar Gleision wedi codi i'r Bencampwriaeth fel y mae heddiw, ddwy adran yn uwch na'r Elyrch. Gwnaethon nhw hynny trwy guro Queens Park Rangers o 1–0 yn rownd derfynol gêmau ailgyfle'r hen Ail Adran yn Stadiwm y Mileniwm. Roeddwn i yno'n sylwebu ar y gêm ddramatig honno, a aeth i amser ychwanegol ac efo chwe munud yn unig yn weddill, sgoriodd yr eilydd Andy Campbell i selio buddugoliaeth i dîm Lennie Lawrence.

Roedd Caerdydd yn ôl yn yr hen Adran Gyntaf am y tro cyntaf ers deunaw mlynedd, ond wnaethon nhw ddim llawer o argraff yn yr adran honno yn yr un o'r pum tymor nesaf. Unfed ar ddeg yn 2005–06 oedd eu safle uchaf yn nhymor cyntaf Dave Jones wrth y llyw ar ôl iddo gymryd lle Lawrence, ond cawson nhw well hwyl arni yn 2008–09, a'r flwyddyn ganlynol, cyrhaeddodd tîm Jones rownd derfynol y gêmau ailgyfle, ond colli o 3–2 i Blackpool fu eu hanes. Yn y ddau dymor canlynol, cawson nhw eu curo yn rownd gyn-derfynol y gêmau ailgyfle dros ddau gymal. Yn 2011, ar ôl gêm ddi-sgôr yn y cymal cyntaf, roedd colli gartref o 3–0 yn erbyn Reading yn yr ail gymal yn brofiad poenus mewn mwy nag un ffordd. Mae hi'n bosibl y buasai Caerdydd wedi gallu sicrhau dyrchafiad heb orfod chwarae yn y gêmau ailgyfle heblaw iddyn nhw gael eu curo o 3–0 gan Middlesbrough yn Stadiwm Dinas Caerdydd bythefnos cyn i Reading chwalu eu gobeithion. Yn y gêm yn erbyn Middlesbrough, sgoriodd yr ymwelwyr eu tair gôl yn yr un funud ar hugain cyntaf, ac ar ôl y gêm cawson ni ohebwyr wybod bod nifer o aelodau tîm Caerdydd wedi bod allan yn hwyr yn yfed alcohol lai na deuddydd ynghynt. Chawson ni ddim gwybod pa chwaraewyr oedd y rhain, ond mynegodd Jones ei siom ynddyn nhw a'u beirniadu am fod mor amhroffesiynol. Roeddwn i'n rhannu rhwystredigaeth eu rheolwr ar ôl un o'i gêmau olaf cyn iddo gael ei ddiswyddo.

Malky Mackay gafodd ei benodi'n olynydd iddo, ond methodd o arwain y tîm i rownd derfynol y gêmau ailgyfle yn 2012. Gwelais i nhw'n colli'r ddwy gêm yn y rownd gyn-derfynol yn erbyn West Ham, ac roedden nhw ymhell o fod ar eu gorau yn y ddau gymal wrth iddyn nhw nhw geisio cymryd cam yn nes at yr Uwch Gynghrair eto fyth. Roedd yn fwy o siom oherwydd eu bod wedi chwarae'n ardderchog yn erbyn Lerpwl yn rownd derfynol Cwpan Carling yn Wembley dri mis ynghynt. Aeth yr Adar Gleision ar y blaen yn y gêm honno cyn colli ar giciau o'r smotyn. Wrth edrych yn ôl ar dymor cyntaf Mackay gyda'r clwb, y farn gyffredinol oedd ei fod wedi gwneud yn eithaf da, ond nad oedd ei dîm wedi perfformio'n ddigon da yn eu gêmau cartref. Dim ond dwy fuddugoliaeth gawson nhw yn eu deg gêm olaf ar eu maes eu hunain cyn y gêmau ailgyfle.

Roedd hi'n stori hollol wahanol ar ddechrau tymor 2012–13. Enillodd Caerdydd bob un o'u deg gêm gartref gyntaf yn y gynghrair, a chreu record newydd i'r clwb. Fe godon nhw i frig y tabl ym mis Tachwedd ac aros yno tan ddiwedd y tymor. Oherwydd hynny, roedden nhw'n haeddu sicrhau pencampwriaeth yr adran yn Burnley â dwy gêm yn weddill. Ar ôl llwyddo i gyrraedd y brig, dangosodd safon eu chwarae yn ystod y misoedd wedyn y buasai hi'n dipyn o gamp i unrhyw dîm eu disodli o'u safle. Un o'r gêmau wnaeth argraff fawr arna i oedd y fuddugoliaeth o 2–1 dros Crystal Palace ar Ŵyl San Steffan yn Stadiwm Dinas Caerdydd. Aeth Palace – oedd bedwar pwynt yn unig y tu ôl i'r Adar Gleision cyn y gêm – ar y blaen yn y pum munud cyntaf, ond daeth y tîm cartref yn ôl i ennill. Roedd yn berfformiad calonogol, a gadewais y stadiwm yn teimlo'n hyderus ynglŷn â gobeithion chwaraewyr Mackay o gael dyrchafiad.

Ychydig dros dri mis wedyn, dim ond pwynt oedd ei angen ar y chwaraewyr hynny i gyrraedd y nod. Brynhawn dydd Sadwrn 13 Ebrill, enillon nhw gartref o 3–0 yn erbyn Nottingham Forest, ac oherwydd bod Watford wedi colli yn Peterborough yr un prynhawn, dim ond gêm gyfartal gartref oedd ei hangen yn erbyn Charlton ar y nos Fawrth ganlynol i sicrhau dyrchafiad. Roeddwn i'n reit ffyddiog y buasen nhw'n ennill y pwynt a oedd ei angen arnyn nhw, ac roedd hi'n wefreiddiol cael bod yn Stadiwm Dinas Caerdydd y noson honno. Daeth Charlton yn agos at sgorio ddwywaith – trawodd cic rydd Johnnie Jackson y postyn, a bu raid i David Marshall arbed ergyd gan Ricardo Fuller – ond roedd y tîm cartref yn edrych yn ddigon cyfforddus ar y cyfan, er y daeth nerfusrwydd i'r amlwg yn eu chwarae yn ystod y deng munud olaf. Roedd yn hawdd deall hynny mewn gêm mor allweddol, ond fe ddalion nhw eu tir, ac roedd y cefnogwyr wrth eu bodd pan ddaeth y chwiban olaf.

Cefnogwyr Caerdydd yn dathlu eu dyrchafiad
i Uwch Gynghrair Lloegr ym mis Ebrill 2013

Daeth y cyfnod hir o aros i ben, ac roedd Caerdydd wedi codi i brif adran Lloegr, 53 blynedd union ar ôl y tro diwethaf iddyn nhw wneud hynny.

Profiad braf oedd bod yn rhan o gyffro'r miloedd a heidiodd i'r maes i ymuno â'r chwaraewyr. Yn eu plith roedd Craig Bellamy, ymosodwr dadleuol Cymru, oedd yn ei ddagrau ar ôl y gêm. Doedd dim syndod ei fod mor emosiynol, ac yntau wedi'i eni yng Nghaerdydd ac wedi dychwelyd i'r clwb wyth mis ynghynt, am resymau teuluol yn bennaf. Roedd Vincent Tan, y perchennog o Malaysia, ar y maes hefyd, bron i dair blynedd ar ôl i'w gonsortiwm sicrhau na fyddai'r clwb yn dirwyn i ben oherwydd eu dyledion. Gwisgai'r cefnogwyr oedd wedi rhuthro o'u seddi i'r cae chwarae amrywiaeth o grysau glas a choch oedd yn dangos y gwahaniaeth barn sydd wedi bodoli ar ôl penderfyniad dadleuol Tan i newid lliwiau'r clwb o'r glas traddodiadol i goch cyn dechrau'r tymor. Roedd nifer o'r cefnogwyr yn dal yn anhapus ynglŷn â hynny, ond roedd pob un ar y maes yn dilyn gêm Charlton yn hapus iawn beth bynnag oedd lliw eu crysau – roedden nhw ar eu ffordd i'r Uwch Gynghrair.

Roeddwn innau ar ben fy nigon wrth ddisgrifio'r dathliadau ar y maes, yn enwedig o gofio'r golygfeydd brawychus y bues i'n eu disgrifio yn 1993, pan fu helynt rhwng cefnogwyr Caerdydd ac Abertawe cyn y gêm yn hen Ail Adran Lloegr. Bron i ugain mlynedd ar ôl imi adael Parc Ninian yn teimlo'n ddigalon oherwydd y trafferthion hynny, gadewais Stadiwm Dinas Caerdydd yn teimlo'n eithriadol o fodlon wrth edrych ymlaen at weld dau dîm o Gymru'n chwarae yn Uwch Gynghrair Lloegr.

Lerpwl v. Fulham

Uwch Gynghrair Lloegr

Lerpwl 3	Fulham 1
Morientes 9'	Cole 16'
Hyypiä 63'	
Baroš 77'	

Ie, gêm yn Uwch Gynghrair Lloegr oedd hon, a na, doeddwn i ddim yn sylwebu arni! Es iddi gyda Delyth, fy ngwraig, a Huw, fy mab, union wythnos ar ôl ei ben-blwydd yn 12 oed. Ei brif anrheg oedd cael mynd i wylio Lerpwl, y tîm roedd yn ei gefnogi, am y tro cyntaf. Roeddwn wrth fy modd 'mod i wedi llwyddo i brynu tri thocyn ar gyfer eisteddle enwog y Kop a threfnu dydd Sadwrn rhydd – rhywbeth prin yn ystod y tymor pêl-droed. Roeddwn wedi bod yn Anfield nifer o weithiau i sylwebu, a phan oeddwn yn blentyn hefyd. Ond doedd Huw a Delyth erioed wedi bod yno, ac fe wnaethon ni'n fawr o'r achlysur. Aethon ni i'r maes yn gynnar ar y bore Sadwrn er mwyn cael digon o amser i weld amgueddfa'r clwb, y cerrig coffa sydd ag enwau'r 96 o gefnogwyr fu farw yn nhrychineb Hillsborough yn 1989 arnyn nhw, ac i ymweld â'r siop. Roedd Huw ar ben ei ddigon, ac yntau wedi bod â diddordeb mawr mewn pêl-droed ers pan oedd yn saith oed. Chafodd o mo'i orfodi i wneud hynny – wir!

Fernando Morientes yn dathlu sgorio
gôl gyntaf Lerpwl gyda Steven Gerrard

Roedd o a chriw o'i ffrindiau yn Ysgol Gynradd Gymraeg Evan James, Pontypridd, wedi dechrau chwarae pêl-droed i dîm lleol Graigwen ar benwythnosau. Sylweddolais gymaint o ddiddordeb oedd ganddo yn ystod cystadleuaeth Ewro 2000. Erbyn hynny roedd Huw yn darllen *Match*, y cylchgrawn pêl-droed i blant, bob wythnos, a phan oedd o a fi ar siwrnai hir yn y car, byddem yn ceisio enwi cynifer o chwaraewyr ag y gallen ni o blith carfanau'r timau cenedlaethol yn y gystadleuaeth. Llwyddodd Huw i enwi dau o chwaraewyr Slofenia, ond un yn unig o chwaraewyr y wlad o ddwyrain Ewrop roeddwn i'n ei gofio!

Mae gen i atgofion melys iawn o'r mwynhad a gawson ni'n tri o wylio'r fuddugoliaeth dros Fulham. Colli o 3–1 wnaeth Lerpwl yn erbyn Arsenal y tro cyntaf i mi fod yn Anfield gyda fy nhad ym mis Tachwedd 1974, ac roeddwn yn falch eu bod wedi ennill o sgôr debyg ar ymweliad cyntaf Huw â'r maes. Ar ben hynny i mi, roedd yn deimlad od, ond braf, gallu ymlacio mewn gêm, yn hytrach na gorfod canolbwyntio ar yr enwau, y chwarae, a'r ffeithiau cefndir rydw i'n eu paratoi mor drylwyr â phosib bob tro. Roedd pawb o'n cwmpas yn y Kop yn hapus â'r canlyniad, wrth gwrs, ond ymhell cyn y chwiban olaf, roedd 'na ddathlu mawr ym mhob cwr o'r maes ar ôl i Fernando Morientes roi Lerpwl ar y blaen. Bedwar diwrnod ynghynt, roedd Morientes wedi sgorio'i gôl gyntaf dros y clwb mewn buddugoliaeth o 2–1 yn Charlton. Rŵan roedd ymosodwr Sbaen wedi sgorio eto ar ôl i Rafa Benitez, rheolwr Lerpwl, dalu £6.3m o bunnau i Real Madrid amdano.

Fore trannoeth, ar ôl gadael y gwesty a chyn cychwyn adref, aethon ni i Ddoc Albert yn Lerpwl i amgueddfa The Beatles Story. Roedden ni wedi clywed canmoliaeth i'r atyniad hwn a chawson ni mo'n siomi wrth ddysgu mwy am hanes bywydau a cherddoriaeth un o'n hoff grwpiau pop ni fel teulu. Mae cerddoriaeth yn rhan bwysig iawn o fywydau'r tri ohonon ni. Mae Delyth a mi yn canu yng Nghôr Godre'r Garth ac mae'r côr wedi perfformio dau gyfansoddiad gen i – y garol 'Llawenhewch, Gorfoleddwch' a gosodiad o salm 'Molwch Yr Arglwydd'. Roedd Huw arfer canu yng Nghôr Cenedlaethol Ieuenctid Cymru ac aeth yn ei flaen i wneud cwrs Cerddoriaeth ac Actio yng Ngholeg Rose Bruford yn Llundain. Canodd y tri ohonon ni gyda'n gilydd yng Nghôr Staff a

Huw yn ystyried dilyn yn ôl troed ei dad! Pwynt sylwebu stadiwm y Camp Nou, Barcelona, 2006

Gareth, Delyth a Huw cyn canu yng Nghôr Staff a Chyfeillion Rhydfelen yn Eisteddfod Genedlaethol Glyn Ebwy, 2010

Chyfeillion Rhydfelen yn yr Eisteddfod Genedlaethol yng Nglyn Ebwy yn 2010 ac ym Mro Morgannwg yn 2012. Rydyn ni'n tri'n canu'r piano ac rydw i'n ddigon ffodus i fedru ei ganu yn ôl y glust. Rydw i'n canu'r piano'n aml wrth gymdeithasu ag aelodau Côr Godre'r Garth ac â chyd-weithwyr pan fyddwn ni dramor ar gyfer gêmau Cymru. Rydw i'n canu'r organ hefyd o bryd i'w gilydd yng nghapel Minny Street yng Nghaerdydd.

Ar ôl inni orffen yn yr amgueddfa aeth Delyth i'r tŷ bach, a thra oedd Huw a fi'n aros amdani, cerddodd dyn a dynes ifanc yn dal dwylo'i gilydd heibio i ni. Roedd y dyn yn edrych yn gyfarwydd, ac wrth iddo basio sylweddolais pwy oedd o – Fernando Morientes! Erbyn i Delyth ddod yn ôl aton ni, roedd un o arwyr Anfield y diwrnod cynt gryn bellter oddi wrthym, ond cafodd ei stopio gan ddau ddyn oedd eisiau tynnu lluniau ohono ar eu ffonau symudol. Wrth weld hynny'n digwydd, a heb ddweud gair, dechreuais i, Delyth a Huw redeg nerth ein traed ar ôl Morientes a'i gariad, oedd wedi ailddechrau cerdded – yn union fel tasen ni wedi ymateb i sŵn gwn yn cael ei danio ar ddechrau ras. Trwy lwc, roedd ymosodwr Lerpwl a'i gariad wedi arafu, a thrwy lwc hefyd roedd Huw yn gwisgo'r crys roeddwn i a Delyth wedi'i brynu iddo yn y siop y diwrnod cynt ag enw Morientes ar ei gefn. Doedd dim ots, felly, nad oedd y Sbaenwr yn gallu ateb wrth i mi ofyn iddo yn Saesneg a fuasai'n rhoi'i lofnod i Huw ac a gâi Delyth dynnu llun ohonyn nhw eu dau gyda'i gilydd. Roedd yn ddigon bodlon, chwarae teg iddo, ac mae'r llun hwnnw yn dal ar wal ystafell wely Huw ym Mhontypridd hyd heddiw.

Roedd y ffaith fy mod wedi rhedeg ar ôl Morientes yn profi un peth i mi. Sylwebydd a gohebydd pêl-droed ydw i wrth fy ngwaith, ond cefnogwr ydw i yn y bôn, a chefnogwr ffodus iawn hefyd. Wrth i mi sylwebu a gohebu o feysydd ledled Prydain ac Ewrop ers bron i chwarter canrif, rydw i wedi cael y gefnogaeth fwyaf gwerthfawr bosib – cefnogaeth gadarn a chariadus Delyth a Huw – ac mae'n braf gallu cydnabod hynny yma. Diolch i chi'ch dau.

Huw a Fernando Morientes drannoeth y gêm – un o uchafbwyntiau'r penwythnos

Diolchiadau

Diolch o galon i fy niweddar rieni am y gefnogaeth ges i ganddyn nhw ar ôl i mi benderfynu fy mod eisiau mentro i fyd darlledu. Gwnes hynny am y tro cyntaf ar orsaf radio annibynnol CBC ac mi ges help gan Ioan Kidd, Gareth Charles, Derec Brown a John Pockett yr adeg honno.

Mae arna i ddyled fawr i ddau berson am eu cymorth pan ddechreuais yn BBC Cymru – y ddiweddar Menna Gwyn, a roddodd hyfforddiant i mi fel cyflwynydd radio, ac Emyr Wyn Williams, a roddodd y cyfle i mi weithio yn yr Adran Chwaraeon. Alla i ddim enwi pawb sydd wedi gweithio gyda mi yn yr Adran ers hynny, ond mae wedi bod yn bleser ac yn fraint cydweithio â chynifer o bobl dalentog ar hyd y blynyddoedd.

Diolch yn fawr i'r bobl ganlynol am rannu eu hatgofion wrth imi baratoi'r llyfr: fy modryb Glenys Blainey a 'nghefnder Brynmor Blainey, Ian Gwyn Hughes, Kevin Ratcliffe, John Davies, Barry Horne, Mark Evans o Gymdeithas Bêl-droed Cymru, Marc Webber, Jonathan Wilsher, Nic Parry, Dai Davies, Dylan Griffiths, John Hardy, Malcolm Allen, Simon Davies, John Richards, Iwan Roberts, Osian Roberts a Waynne Phillips. Rydw i'n ddiolchgar iawn i Geoff Williams, Pennaeth yr Adran Chwaraeon, am ei gydweithrediad wrth i mi ysgrifennu'r llyfr, ac i Andrew Weeks am ddarllen y testun.

Diolch i Elinor Wyn Reynolds o Wasg Gomer am gymeradwyo fy syniad ar gyfer y llyfr, a diolch yn arbennig i Luned Whelan am ei gwaith trylwyr fel golygydd.

Yn olaf, diolch i chi am ddarllen a gobeithio eich bod chi wedi mwynhau'r siwrnai o Wembley i Wembley.

NEATH PORT TALBOT LIBRARY AND INFORMATION SERVICES							
1		25		49		73	
2		26		50		74	
3		27		51		75	
4		28		52		76	
5		29		53		77	
6		30		54		78	
7		31		55		79	
8		32		56		80	
9		33		57		81	
10		34		58		82	
11	9/15	35		59		83	
12		36		60		84	
13		37		61		85	
14		38		62		86	
15		39		63		87	
16		40		64		88	
17		41		65		89	
18		42		66		90	
19		43		67		91	
20		44		68		92	
21		45		69		COMMUNITY SERVICES	
22		46		70			
23		47		71		NPT/111	
24		48		72			